DÜSSELDORF
Stadt am Rhein
City on the Rhine
Ville sur le Rhin

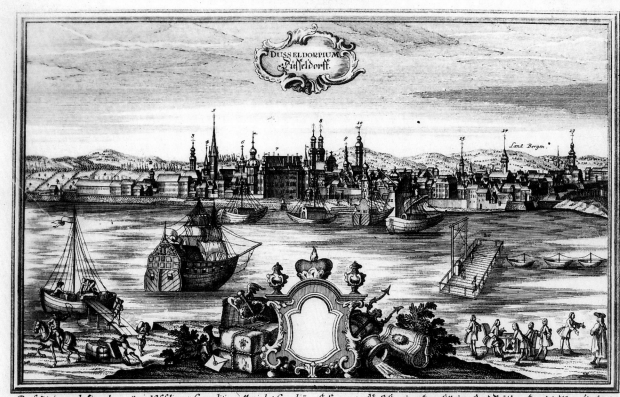

1647

DÜSSELDORF

Stadt am Rhein

City on the Rhine · Ville sur le Rhin

Mit Texten von Olaf Cless und Bildern von Rolf Purpar
With texts by Olaf Cless and photos by Rolf Purpar
Avec des textes de Olaf Cless et des photographies de Rolf Purpar

NOBEL
Bildband

Kurfürst Johann Wilhelm (1658-1716), hoch zu Roß auf dem Marktplatz.

The Elector Johann Wilhelm (1658-1716) on horseback in the Market Square.

L'Electeur Johann Wilhelm (1658-1716), à cheval à la place du marché. ▶

Impressum

Herausgeber: Norbert Beleke

Verlag Beleke KG · Essen

Dortmund · Düsseldorf · Lübeck · Wiesbaden

Texte: Dr. Olaf Cless

Fotos: Rolf Purpar

Kupferstich S. 2: Stadtmuseum Düsseldorf; Horst Müller: DEG S. 77

Lektorat/Projektleitung: Dr. Michael Platzköster, Thomas Sliepen

Grafische Gestaltung: Ateliers der Verlagsgruppe Beleke

Übersetzungen: BERLITZ

© 1996 Verlag Beleke KG

NOBEL-Bildband

ISBN 3-8215-0358-0

Inhalt / Contents / Contenu

Blick vom Oberkasseler Rheinufer während der Schiffsparade zum 700jährigen Stadtjubiläum.

View from the Oberkassel Rhine embankment with parade of ships for the 700 year jubilee of the city.

Vue de la rive du Rhin à Oberkassel: Le parade des bateaux lors du 700ᵉ anniversaire de la ville.

▶

Von Dusseldorp nach Düsseldorf

Daß Düsseldorf am Rhein liegt, erscheint als pure Selbstverständlichkeit. Und doch war das Verhältnis der Stadt zu ihrem majestätisch vorüberfließenden Strom lange Zeit nicht das beste. Sie kehrte ihm gleichsam den Rücken zu. Das war so, als sich noch mächtige Festungsmauern zwischen Ansiedlung und Fluß schoben; wie auch später, als unansehnliche Hafenschuppen das Ufer säumten. Es war aber selbst bis in die jüngste Vergangenheit der Fall: Eine mit den Jahren stark und stärker befahrene Uferstraße schnitt die Altstadt ab und machte sie rheinwärts zu einer eher unwirtlichen Gegend.

Doch damit ist es nun zum Glück vorbei. Der Autoverkehr fließt neuerdings unterirdisch, im Rheinufertunnel, der nicht nur stolz als „Jahrhundertbauwerk" tituliert wurde, sondern auch, wie könnte es anders sein, eine Menge Geld gekostet hat. Inzwischen hat die großzügige und elegante Fußgängerpromenade Gestalt angenommen, mit ihren bläulichen, wellenförmigen Bodensteinen – die anfangs manchem traditionell gesinnten Düsseldorfer zu gewagt erschienen –, ihren zum Verweilen einladenden Bänken, der geschwungenen Terrasse und der Freitreppe zu Füßen des alten Schloßturms. Mit einem rauschenden Fest nahm die Bevölkerung 1995 von dem neuen Stück Stadtlandschaft Besitz. „Düsseldorf kehrt an den Rhein zurück" lautete das treffende Motto. Seither hat man den Eindruck, als würde die Stadt befreit aufatmen, neue stimmungsvolle Treffpunkte für Jung und Alt haben sich herausgebildet, die beiden malerischen Uferseiten – die rechtsrheinische und die von Oberkassel – schauen sich wieder freundlich in die Augen, und nicht zuletzt wer Düsseldorf einen Besuch abstattet, darf sich hier wohler denn je fühlen.

Im Umkreis des Burgplatzes, der so viel Flair dazugewonnen hat, befindet man sich auf wahrhaft historischem Boden. Von hier, wo der nördliche Arm der Düssel, leider weitgehend dem Blick entzogen, in den Rhein mündet, nahm „Dusseldorp", wie der winzige Flecken im 12. Jahrhundert hieß, seinen Anfang. Die Stadtrechte erhielt Düsseldorf 1288 vom gräflichen Geschlecht derer von Berg verliehen, welches im selben Jahr bei Worringen einen blutigen Sieg über den Erzbischof von Köln errungen und sich damit die Vorherrschaft am Rhein gesichert hatte. Von nun an sollte Düsseldorfs Entwicklung für lange Zeit mit den Grafen von Berg verknüpft bleiben. Ältestes bauliches Zeugnis der Stadtgeschichte ist die Lambertuskirche mit ihrem liebenswert verdrehten Turm, den sie freilich einer Dachdeckerpanne des beginnenden 19. Jahrhunderts verdankt. Die Reliquien des heiligen Appolinaris, die hier ruhen – er wird bis heute als Stadtpatron verehrt –, verhalfen der jungen Stadt schon bald zu regem Wallfahrtsverkehr, und der war gerade im Mittelalter bekanntlich ein wichtiger „Wirtschaftsfaktor".

Neue Dynamik zog mit der Vereinigung der Herzogtümer Jülich, Kleve und Berg Anfang des 16. Jahrhunderts in das Städtchen ein, das sich nun zur bedeutenden Herrscherresidenz mauserte. Ein neues, stattliches Schloß wurde errichtet, von dem der wuchtige Turm auf dem Burgplatz, einziges Überbleibsel nach einem Großbrand 1872, heute wenigstens noch eine Ahnung hinterläßt. Zugleich verbindet er sich aber auch mit einer der eher düsteren und wirren Phasen in der Stadtgeschichte: Hier starb vor rund 400 Jahren in ihrem Gemach die unglückliche Fürstengattin Jakobe von Baden eines gewaltsamen, bis heute nicht aufgeklärten Todes, ein Ereignis, um das sich viele fantastische Legenden und Spukgeschichten ranken. Wenn es hingegen eine Herrscher-Ära gibt, die bis heute einen guten Klang behalten hat, so ist es die des Johann Wilhelm, volkstümlich „Jan Wellem" genannt, der von 1679 bis 1716 das Zepter führte und seither als stolze Reiterstatue aus Bronze den Rathausplatz überragt. Der gebürtige Düsseldorfer und seine Florentiner Gemahlin Anna Maria Luisa brachten in großem Stile Kunst und Künstler in die Stadt, eine zukunftsträchtige Tat, die bis in unsere Gegenwart gewirkt hat. Daß aus Jan Wellems gigantomanischem Schloßbauprojekt – der Kurfürst schwärmte für den Sonnenkönig Ludwig XIV. – nichts wurde, darf hingegen getrost als Segen betrachtet werden. Die Schuldenlast, die er Stadt und Land hinterließ, war ohnehin gewaltig genug...

Die entscheidenden Weichenstellungen hin zu der modernen und mondänen Großstadt, die

Düsseldorf heute verkörpert, erfolgten aber erst seit Beginn des 19. Jahrhunderts. Unter der zeitweiligen französischen Herrschaft verschwanden die hinderlichen Festungsanlagen – die Stadt konnte endlich expandieren und auch jene großzügigen Grünanlagen schaffen, die bis heute ihre Gesicht prägen. In preußischer Zeit dann, nach 1815, wurde sie zu einem bedeutenden Umschlagplatz für die Rheinschiffahrt. Bald folgten die ersten Eisenbahnlinien, und Mitte des Jahrhunderts begann, übrigens initiiert von belgischen und irischen Unternehmern, Düsseldorfs rasanter Aufstieg als Metropole der Eisen- und Stahlindustrie. Die Tage des beschaulichen Biedermeier-Städtchens waren nun endgültig gezählt. 1882 überschritt die Einwohnerzahl die 100.000er-Grenze, verdoppelte sich bis zur Jahrhundertwende, ohne daß ein Ende dieses Wachstums in Sicht gewesen wäre. Große Industrie- und Konsumgüter-Ausstellungen trugen zum Ruf der Stadt bei und setzten eine Entwicklung in Gang, die im heutigen, weltweit gefragten Messestandort Düsseldorf gipfelte.

Heute, gut ein halbes Jahrhundert nach einem verheerenden Weltkrieg, der auch diese Stadt, wichtige damalige Rüstungsschmiede, am Ende in Schutt und Asche sinken ließ, stellt sich Düsseldorf als eine pulsierende europäische, weltoffene Stadt dar, in der sich die Nationen begegnen. Das prägt ihre Atmosphäre, das zeigt sich in vielfältiger Weise, oft schon auf den ersten flüchtigen Blick: im polyglotten Gewimmel auf Straßen und Plätzen, in Geschäften und Restaurants, im Flughafen und im Hauptbahnhof, in Banken und Bürohochhäusern, auf Messen und Modeschauen, bei großen Sportwettkämpfen; es zeigt sich in der vielbesuchten Residenz des Ministerpräsidenten und im Rathaus, in der Kunstakademie wie im neu emporwachsenden Medienviertel, im Ausstellungs- und Konzertle-

ben, in Oper und Theater, an der Universität, bei Kongressen und manchem mehr.

Die Landeshauptstadt Düsseldorf empfängt mehr denn je Impulse aus aller Welt – und sie sendet kräftige eigene aus. Zum Beispiel als Stadt der Künste. Das Schauspielhaus am Gustaf-Gründgens-Platz ist regelmäßig Gastgeber für Ensembles aus dem Ausland, und seine besten eigenen Inszenierungen reisen mitunter bis nach London und Moskau, Bogotá und Sofia. Ähnliches gilt für Tänzer, Sänger und Sinfoniker aus Düsseldorf, nicht minder für die bedeutenden Literaturinstitute der Stadt. Das Professorenverzeichnis der Kunstakademie liest sich geradezu wie ein „Wer ist Wer" der internationalen Szene von heute, und gleichzeitig strahlt die Kreativität „rheinischer" Künstler weit über die Grenzen hinaus - Joseph Beuys, der vor rund zehn Jahren starb, ist kein Einzelfall geblieben. Was aber die kulturelle Lebendigkeit Düsseldorfs insgesamt ausmacht, sind nicht nur die prominenten Namen und glänzenden Großereignisse, sondern ist auch eine vielfältige, bunte Szene in Dutzenden von Ateliers und Galerien, von Kneipen und kleinen Theatern. Hier gedeiht der Humus, aus dem schon oft die schönsten Orchideen wuchsen.

Demnächst wird die Stadt den 200. Geburtstag ihres berühmtesten, wohl aber auch unbequemsten Sohnes begehen: Heinrich Heine. „Düsseldorf ist sehr schön", schwärmte er aus der Ferne seines Exils und spürte ein wehmütiges Ziehen in der Brust. Die Stadt begreift das vielzitierte Wort als Verpflichtung: Sie arbeitet weiter an ihrer Schönheit, wohl wissend, daß diese im Wandel der Zeiten nichts Endgültiges sein kann. Seien Sie also willkommen in der Stadt am Rhein, und lassen Sie sich mit diesem Buch auf den Geschmack bringen.

Olaf Cless

From Dusseldorp to Düsseldorf

The fact that Düsseldorf is on the Rhine is taken for granted. And yet the city's attitude to its majestically flowing neighbour has often been far from perfect. It even turned its back on the Rhine when mighty fortifications were erected between the settlement and the river as well as later, when unsightly warehouses lined the bank. And it did so again well into the recent past, when an embankment road with an ever-increasing volume of traffic virtually cut off the historic city centre, affecting its economic viability in the Rhine region.

Luckily that is a thing of the past. Motorised traffic now flows underground through the Rhine Embankment Tunnel, which was not only referred to with great pride as a "structure of the century" but which inevitably cost a great deal of money. Meanwhile the spacious, elegant promenade has been taking shape with its bluish, undulating paving stones – a feature initially considered too daring by many a Düsseldorf traditionalist –, its inviting seats, the curved terrace and the exterior flight of steps at the foot of the ancient Castle Tower. The local population took possession of the new piece of cityscape in 1995 with an ecstatic celebration under the fitting motto "Düsseldorf's return to the Rhine". Since then the city has given the impression of feeling liberated; new, stimulating venues for young and old have developed, the two picturesque embankments – the right bank of the Rhine and the one at Oberkassel – are in full view of each other once again, and – last but not least – the visitor to Düsseldorf can now feel more at home than ever.

Around the Burgplatz, the castle square, which has gained so much in the way of flair, one does indeed stand on truly historic ground. It was here, where the northern arm of the Düssel – sadly almost out of view – flows into the Rhine, that "Dusseldorp", as this tiny spot was known in the 12th century, was established. Düsseldorf was granted its city charter in 1288 by the von Berg nobility, which that same year won a bloody battle against the Archbishop of Cologne, assuring itself of predominance on the Rhine. From then onwards, the development of Düsseldorf was long to remain linked with the von Berg line. The earliest structure bearing witness to the history of this city is St. Lambert's Church with its enchantingly twisted tower, a feature which it admittedly owes to a mishap by an early 19th century roofer. The relics of St. Appolinaris, still today the patron of Düsseldorf, have their resting place here. They originally attracted vast numbers of pilgrims to the young city, an important "economic factor", especially in those medieval times.

The unification of the Duchies of Jülich, Kleve and Berg in the early 16th century brought new impetus to the small town, which now developed into an important sovereign residence. A magnificent new castle was built. All that remained of it after the great fire of 1872, however, was the massive tower at the Castle Square, which even today gives at least some impression of the former might. It also represents, however,

a link with one of the darker, more chaotic phases in the city's history: It was here that Jakobe von Baden, wife of one of the Electors, met a violent death, an event which has never been fully clarified and one which has given rise to numerous highly imaginative legends and ghost stories. If, in contrast, there is an epoch which has kept its good name until today, it is that of Johann Wilhelm, popularly known as "Jan Wellem", who reigned from 1679 to 1716 and whose equestrian statue continues to dominate the City Hall Square. The native Düsseldorfer and his Florentine wife Anna Maria Luisa brought art and artists into the city in the grand manner, an action which still makes its mark. The fact that Jan Wellem's gigantomanic castle project – the Elector revered the Sun King Louis XIV – came to nought, on the other hand, can safely be seen as a blessing. The debts he left the city and the state were already vast enough...

The crucial moves towards the modern metropolis which Düsseldorf has now become were, however, not made until the early 19th century. Under temporary French rule, the restraining fortifications vanished, making way for urban expansion and for the spacious parks which are still so characteristic of Düsseldorf. In the subsequent Prussian era, after 1815, it became an important Rhine shipping terminal. The first railway lines were quick to follow, and the mid-19th century saw Düsseldorf developing rapidly, on Belgian and Irish initiative, into a centre of the iron and steel industry. The days of the tranquil Biedermeier town were numbered. In 1882 the population passed the 100 000 mark, doubling by the turn of the century with no end to this growth in sight. Major exhibitions displaying industrial products and consumer goods contributed to the city's reputation and gave impetus to a development which was to reach its peak in today's internationally reputed Düsseldorf Trade Fair.

Today, a good half-century after a devastating World War which finally reduced this city – in those times an important centre of the armaments industry – to rubble, Düsseldorf is a vibrant European city with international flair, a meeting point for the nations. This creates its special atmosphere and is reflected in many ways, often even at first glance: in the variety of languages heard in its streets and squares, in shops and restaurants, at the airport and the railway station, in banks and high-rise office blocks, at trade fairs and fashion shows, at major sporting events; it is reflected at the much-frequented residence of the Minister President and at the City Hall, at the Academy of Art and in the growing Media Quarter, in exhibition and concert life, at the opera and theatre, at the university, at congresses and elsewhere.

More than ever, the federal state capital of Düsseldorf is gaining impetus from all parts of the world – and sending out its own impetus. For instance as a city of the arts. The playhouse at Gustaf-Gründgens-Platz is a regular host to theatre companies from abroad, and the best of its own productions travel as far afield as London and Moscow, Bogota and Sofia. The same goes for dancers, singers and orchestras from Düsseldorf, and no less for the city's important literary institutes. The register of professors at the Academy of Art is like a "Who's Who" of the present-day international scene, while the creative talent of "Rhenish" artists shines out far beyond local borders – Joseph Beuys, who died some ten years ago, is not unique in this. But it is not only the prominent names and brilliant large-scale events which make up Düsseldorf's cultural vitality as a whole but also a richly varied, colourful scene in dozens of studios and art galleries, pubs and small theatres. It is this background that has so often nurtured exceptional talent.

De Dusseldorp à Düsseldorf

Il semble de toute évidence que Düsseldorf se trouve sur le Rhin. Néanmoins les rapports entre la ville et le fleuve qui la traverse majestueusement n'étaient longtemps pas des plus sereins. Elle lui tournait pour ainsi dire le dos. Il en était ainsi à l'époque où d'imposants remparts délimitaient la ville du fleuve; et plus tard encore lorsque de vilains hangars portuaires s'alignaient sur ses bords. Cette situation a durée jusque dans le passé récent: la route longeant le bord du fleuve, le séparait la vieille ville et le côté riverain était un quartier plutôt hostile.

Heureusement il n'en est plus ainsi. Depuis la circulation passe par le tunnel souterrain longeant le Rhin, qui ne porte non seulement avec fierté le titre de „construction du siècle", mais, comment comme il fallait s'y attendre, a également coûté une énorme somme d'argent. Entre-temps la zone piétonnière, élégante et de grand style, est aménagée avec des pierres bleutées aux formes ondulées, – que plus d'un citoyen de Düsseldorf attachés aux traditions trouvaient d'abord un peu extravagantes – et des bancs invitant à la détente sur la terrasse en demi-cercle et les escaliers au pied de la vieille tour du château. En 1995 les citoyens ont pris possession de ce nouvel espace de leur ville lors d'une fête inaugurale. La devise de l'inauguration portait le juste titre „Düsseldorf retourne sur les bords du Rhin". Depuis on pourrait croire que la ville respire de nouveau, de plus, des points de rencontre agréables s'offrent pour tous les âges, les deux rives, la rive droite et celle de gauche – de Oberkassel – se font encore une fois de gentils clins d'œil. Enfin, qui vient visiter Düsseldorf s'y sentira plus que jamais à son aise.

Autour de la place du château (Burgplatz) à laquelle on donné un cadre avec beaucoup d'ambiance, on se trouve sur un sol historique. C'est ici, où le bras nord de la rivière Düssel se jette dans le Rhin, malheureusement imperceptible à l'œil, que „Düsseldorp", ainsi se nommait le petit village au 12e siècle, a connu ses débuts. Düsseldorf a obtenu les droits de cité en 1288 de la famille des comtes de Berg qui avait remporté dans la même année une victoire sur l'archevêque de Cologne, s'étant ainsi assuré la souveraineté sur le Rhin. Dès lors, le sort de Düsseldorf était durant une longue période lié au comte de Berg. Le plus ancien témoin architectural de l'histoire de la ville est la Lambertuskirche avec sa charmante tour dont la toiture accidentée est le résultat des problèmes des couvreurs au début du 19e siècle. Les reliques de Saint Apolinaire y reposent – aujourd'hui encore il est honoré comme le saint patron de la ville – très tôt déjà, elles ont attiré les foules de pèlerins ce qui était justement au moyen âge un „facteur économique" important.

Au début du 16e siècle l'union des duchés Julich, Kleve et Berg a donné à la ville une dynamique nouvelle, elle est devenue une importante résidence de souverains. Un nouveau, grand château a été érigé. Il n'en reste que la tour sur la place du château, seuls vestiges après l'incendie de 1872 nous laissant une impression. Elle rappelle cependant également une des phases les plus sombres et les plus mouvementées de l'histoire de la ville: ici, Jakobe de Baden, la femme du prince, a connu une mort cruelle, qui n'a jamais été élucidée, un événement qui a nourri de nombreuses légendes et d'histoires de fantômes. Une ère de souverains ayant nourri de bons souvenirs jusqu'à nos jours, serait celle de Johann Wilhelm, son populaire „Jan Wellem", il a régné de 1679 jusqu'en 1716. Depuis il domine la place du marché sous forme de statue équestre en bronze. Lui, né à Düsseldorf, et son épouse Anna Maria Luisa ont fait venir l'art et les artistes, une initiative prometteuse, dont les retombées pour la ville sont encore évidentes de nos jours. Le fait que le projet gigantesque de la construction d'un château n'a pas abouti – Jan Wellem était un admirateur de Louis XIV, le roi Soleil – peut être considéré comme un salut. Les dettes qu'il a laissées à la ville et au Land étaient de toute façon énormes ...

Ce n'est qu'au début du 19e siècle que furent entrepris les travaux pour donner à la ville le caractère mondain et moderne d'une grande ville, tel que se présente Düsseldorf aujourd'hui. Durant la souveraineté passagère des Français, les remparts de fortification gênants ont disparu . La ville a enfin pu s'étendre, ont alors été créés ces somptueux espaces verts qui de nos jours encore lui donnent un attribut particulier. Puis à l'époque prussienne, après 1815, elle devint une importante place de transbordement pour la navigation fluviale sur le Rhin. Très vite, suivirent les lignes de chemins de fer, puis vers le milieu du siècle, sur l'initiative d'entrepreneurs belges et irlandais, Düsseldorf connaît son essor rapide comme métropole de la sidérurgie. Les jours de la charmante ville en style Louis-Phillippe étaient comptés. En 1882 le nombre d'habitants dépassait les 100 000 pour encore doubler au seuil du siècle, une fin de cette croissance n'était pas prévisible. De grandes expositions de biens d'équipement et de consommation ont favorisé la réputation de la ville, donnant naissance à un développement qui a abouti à ce qu'est aujourd'hui Düsseldorf: un site d'expositions de renommée mondiale.

Aujourd'hui bien un demi-siècle après la terrible guerre mondiale qui a également réduit cette ville – alors important centre d'industrie d'armement – en ruines et en cendres, Düsseldorf se présente comme une ville européenne, dynamique, ouverte au monde où se rencontrent les nations. C'est ce qui lui donne son cachet, on le perçoit de différentes manières, le fourmillement polyglotte dans les rues et sur les places, dans les magasins et les restaurants, à l'aéroport et à la gare, dans les banques et les tours de bureaux, aux foires et lors des défilés de mode, lors de compétitions sportives; on le retrouve dans la résidence fort fréquentée du chef du gouvernement du Land et dans la mairie, à l'académie de arts ainsi que dans le quartier des médias qui a pris son essor tout récemment, et aussi au quotidien des expositions et des concerts, à l'opéra, au théâtre, à l'université, lors de congrès et à bien d'autres occasions.

Düsseldorf, la capitale du Land capte plus que jamais des impulsions du monde entier – et elle en émet hardiment de ses propres. Par exemple en tant que ville des arts. Le théâtre à la Gustaf-Gründgens-Platz reçoit régulièrement des ensembles venus de l'étranger, et ses propres meilleures mises en scène vont jusqu'à Londres, Moscou, Bogotá et Sofia. Il en va de même pour les danseurs, les chanteurs et les symphonistes de Düsseldorf ou pour les grands instituts littéraires de la ville. La liste des professeurs de l'académie des arts ressemble à un répertoire „Qui est Qui" de la scène internationale contemporaine, aussi la créativité des artistes „rhénans" est-elle reconnue jusque loin au-delà des frontières – Joseph Beuys, mort il y a dix ans, n'en est pas le seul. L'activité culturelle de Düsseldorf dans son ensemble, ne relève pas seulement des noms célèbres et des événements somptueux, mais aussi de la scène diversifiée des douzaines d'ateliers et de galeries, des brasseries et de petits théâtres. Ici se développe le „terreau" duquel sont déjà sorties les plus belles orchidées.

Bientôt la ville va fêter le 200e anniversaire de son fils le plus célèbre, mais aussi le plus importun: Heinrich Heine. „Düsseldorf est très beau" s'exaltait-il de son exil lointain sentant comme une douleur mélancolique dans la poitrine. La ville conçoit cette citation comme un engagement: elle continue à œuvrer pour sa beauté sachant bien que dans la marche du temps rien ne saurait être définitif. Soyez donc les bienvenus dans la ville sur le Rhin, que ce livre vous donne envie de la découvrir.

Die Altstadt

Zwischen dem Rheinufer im Westen und der Heinrich-Heine-Allee im Osten erstreckt sich Düsseldorfs Altstadt. Auf dieses Areal von rund einem Quadratkilometer konzentrierte sich in den ersten Jahrhunderten ihres Bestehens die Stadt. Im Zweiten Weltkrieg fast vollständig zerstört, wandelte sich die Altstadt im Zuge ihres Wiederaufbaus: Aus dem ehemals beschaulichen Kleine-Leute-Viertel wurde ein pulsierender, umsatzträchtiger Standort von Gastronomie und Handel. Weit über 200 Restaurants und Kneipen aller Art konzentrieren sich hier, ferner zahlreiche Geschäfte und Boutiquen. Doch auch die Tradition behauptet ihren Platz. Mehrere alteingesessene Hausbrauereien etwa bringen ihr obergäriges Bier, das berühmte „Alt", auf die blanken Holztische. Und wer auf Kunst und Kultur aus ist, findet in der Altstadt bedeutende Schätze versammelt: die Kirchen St. Lambertus und St. Andreas, den Schloßturm und das Rathaus, die Kunstsammlung und das Kabarett „Kom(m)ödchen" – um nur einiges zu nennen. Wer im Herbst zu Besuch kommt, darf sich auf den „Altstadt-Herbst" freuen, ein jährlich stattfindendes Kulturfestival in Kirchen und Sälen, auf Straßen und Plätzen. Was nicht heißt, daß zu anderen Zeiten etwa Ereignismangel herrschte.

The historic city centre

Düsseldorf's historic city centre stretches from the Rhine embankment in the west to the Heinrich-Heine-Allee in the east. It was on this land with an area of about one square kilometre that the city was concentrated in the first centuries of its existence. Almost completely destroyed in the Second World War, the city centre underwent a change in the course of its reconstruction: the former tranquil Small Folk's Quarter became a vibrant, flourishing centre for the catering and retail trades. More than 200 restaurants and pubs of all kinds are concentrated here, along with numerous stores and boutiques. Yet tradition has held its own, for instance with several old-established private breweries serving their top-fermented beer, the renowned "Alt" at polished wooden tables. And those in search of art and culture will find a wealth of notable treasures in the historic city centre: the churches of St. Lambert and St. Andrew, the Castle Tower and the City Hall, the Art Gallery and the "Kom(m)ödchen" cabaret – to name but a few. The autumn visitor can look forward to the "Inner City Autumn Festival", an annual cultural event held in churches and halls, on streets and squares. Which is not to say that there is any shortage of events at other times.

La vieille ville

La vieille ville de Düsseldorf est blottie entre la rive du Rhin à l'ouest et la Heinrich-Heine-Allee à l'est. C'est sur cette superficie d'environ un kilomètre carré que s'est établie la ville durant les premiers siècles de sont existence. Après la destruction quasi totale durant de la Seconde Guerre mondiale, la vieille ville a changé d'aspect au cours de sa reconstruction: Le quartier jadis tranquille des petites gens s'est métamorphosé en un site dynamique ou les commerces et les établissements gastronomiques réalisent de fiers chiffres d'affaires. Outre de nombreux magasins et boutiques, plus de 200 restaurants et brasseries se trouvent concentrés ici. La tradition s'y impose également, plusieurs brasseries traditionnelles servent leurs bières à fermentation élevée, la fameuse „Alt" est servie sur les tables rustiques en bois. Celui qui préfère l'art ou la culture, trouvera dans la vieille ville une véritable collection de trésors: les églises St. Lambertus et St. Andreas, la tour du château et la mairie, la collection d'œuvres d'art et le théâtre populaire „Kommödchen" – pour n'en citer que quelques-uns. En visitant la ville en automne on a la chance de pouvoir au festival d'automne, le „Altstadt-Herbst", un festival culturel annuel, dont les activités se déroulent dans les églises, les salles , les rues et sur les places de la ville. Cela ne signifie aucunement qu'en dehors de cette période les événements seraient absents.

Wo früher Hafenkräne und Lagerhäuser standen, tummeln sich heute die Spaziergänger. Immer mehr Cafés und Restaurants laden hier zum Verweilen ein. Der Autoverkehr fließt seit Ende 1993 unterirdisch an der Altstadt vorbei. – Blick nach Norden, stromabwärts, mit der alten Pegeluhr, dem Schloßturm und der Basilika Sankt Lambertus. Links im Hintergrund die Oberkasseler Brücke, deren Seitwärtsverschiebung im Jahre 1976 für Schlagzeilen sorgte.

Pedestrians now stroll where dock cranes and warehouses once stood. More and more cafés and restaurants are enticing them in. Since late 1993, the motorised traffic has been flowing underground, past the City centre. – A view to the north, downstream, with the old water-mark clock, the Castle Tower and St. Lambert's basilica. On the left in the background is Oberkassel Bridge, whose move to a position alongside its original one made the headlines in 1976.

Là, où autrefois se dressaient les grues portuaires et les entrepôts, on rencontre aujourd'hui les promeneurs. Les cafés et les restaurants de plus en plus nombreux invitent à s'y arrêter. Depuis 1993 la circulation automobile traverse la vieille ville par le tunnel souterrain. – Vue direction Nord, à vau-le-fleuve, l'ancienne échelle fluviale, la tour du château et la basilique Saint Lambert. A gauche en arrière-plan, le pont de Oberkassel, dont le déplacement latéral en 1976 avait fait la une des informations.

Blick stromaufwärts zur Rheinkniebrücke. Die Kräne im Bereich des Fernmeldeturms und des Landtags- gebäudes künden von der regen Bautätigkeit, die dort im aufstrebenden Medienviertel herrscht. Ganz links im Bild das Mannesmann-Hochhaus, rechts die Schlote des Kraftwerks An der Lausward.

View upstream to the "Rhine Bend Bridge". The cranes around the Telecommunications Tower and the Federal State Parliament building are a sign of the brisk building activity going on in the flourishing Media Quarter. On the very left is the Mannesmann skyscraper, and on the right the chimneys of the An der Lausward power station.

Vue à contre-courant sur le Rheinkniebrücke. Les grues autour de la tour de télécommunications et du bâtiment du parlement du Land témoignent d'une activité de construction intense dans le quar- tier des médias en plein essor. Tout à gauche sur l'illustration, la tour Mannesmann, à droite, les cheminées de la centrale d'électricité An der Laus- ward.

Die neue Freitreppe zu Füßen des Schloßturms – beliebtes Plätzchen besonders für junge Leute. Hier kann man malerische Sonnenuntergänge erleben – oder auch Filmnächte im Sommerkino gleich nebenan (S. 19).

The new exterior flight of steps at the foot of the Castle Tower – a popular venue especially for young people. Picturesque sunsets can be watched from here – or late-night films in the summer cinema next door (p. 19).

Le nouveau perron au pied de la tour du château – un lieu populaire surtout fréquenté par les jeunes. D'ici on peut observer de magnifiques couchers de soleil – on peut également assister à des nocturnes cinématographiques dans le cinéma de plein air juste à côté. (p.19).

*Kultur unter freiem Himmel zu
genießen, dazu bietet Düsseldorfs
Altstadt manche Gelegenheit.
Zum Beispiel bei der alljährlichen
„Jazz-Rally" oder beim Benefiz-
"Festival of Friends".*

*Düsseldorf's city centre offers
plenty of opportunity to enjoy culture in the open air. For instance
at the annual "Jazz Rally" or at
the "Festival of Friends" in aid of
charity.*

*Le plaisir de la culture au plein
air, la vieille ville de Düsseldorf
offre plus d'une occasion d'en
jouir. Par exemple, la „Jazz-Rally"
qui a lieu tous les ans, ou le festival de bienfaisance „Festival of
Friends".*

Die Bolkerstraße, Hauptachse der Altstadt (o. l.), mit der Neanderkirche (u. l.).

The Bolkerstrasse, the main thoroughfare of the city centre (top left) with the Neander Church (bottom left).

La Bolkerstraße, artère principale de la vieille ville (en haut à gauche), avec la Neanderkirche (en bas à gauche).

Der „Ratinger Hof" (o. r.) hat einmal Punk-Geschichte geschrieben.

The "Ratinger Hof" (top right) has gone down in Punk history.

Le „Ratinger Hof" (en haut à droite) ayant déjà servi de plateau à la scène Punk.

Als ältestes Haus der Stadt gilt das in der Liefergasse Nr. 9 (o. l.).

Liefergasse no. 9 (top left) is thought to be the oldest house in the city.

La maison de la Liefergasse no 9 serait la plus ancienne maison de la ville (en haut à gauche).

Die Karlstadt

Dieser Teil der Stadt, der sich südlich an die Altstadt anschließt, hat seinen Namen vom Kurfürsten Karl Theodor von der Pfalz, unter dessen Regentschaft in der zweiten Hälfte des 18. Jahrhunderts, auf ehemaligem Festungsgelände, mit dem Bau begonnen wurde. „Man wetteifert miteinander, wer sein Haus am schönsten, am bequemsten bauen soll", beschrieb der Weltreisende Georg Forster die damalige Aufbruchstimmung. Bald galt die Karlstadt allgemein als Düsseldorfs attraktivster Stadtteil – ein Urteil, das bis heute von vielen geteilt wird. So manche Straße, etwa *die Citadellstraße* oder die Bilker Straße, hat ihren historischen Charme bewahren können. Am Spee'schen Graben ragen noch Bastionsmauern der ehemaligen Stadtfestung aus dem Wasser, und ein Stück weiter nördlich, nahe der Rheinuferpromenade, hat man das alte Hafenbecken freigelegt. In der Karlstadt ist eine Vielzahl von Galerien, Antiquitätengeschäften und Kunsthandwerksläden beheimatet. Hinzu kommen so gewichtige Adressen wie Heinrich-Heine-Institut, Stadtmuseum, Deutsches Keramikmuseum sowie – jüngste Errungenschaft der Stadt – das Filmmuseum. Zur Karlstadt gehören aber auch monumentale Bank- und Verwaltungsgebäude vom Beginn dieses Jahrhunderts. Für die Erkundung des Stadtteils sollte man sich Zeit nehmen - es lohnt sich, und Möglichkeiten zum Rasten zwischendurch, wie *am Musikbrunnen beim Wilhelm-Marx-Haus*, liegen überall am Wege.

Karlstadt

Adjoining the city centre to the south, this district owes its name to the Elector Karl Theodor von der Pfalz, under whose regency in the second half of the 18th century building work was started on a former fortification site. "There is great competition as to whose house is to be built in the most pleasing, most comfortable way", wrote the traveller Georg Forster, describing the feverish activity. It was not long before Karlstadt was generally regarded as Düsseldorf's most attractive quarter – a view still widely shared. Many a road, such as the *Citadellstrasse* or the Bilker Strasse, has preserved its old-world charm. At the Spee'sche Graben, a former fortification moat, bastion walls still project from the water, and a little further north, not far from the Rhine Embankment, the former harbour basin has been exposed. Karlstadt is home to a large number of art galleries, antique shops and craft boutiques as well as to renowned institutions such as the Heinrich Heine Institute, the Municipal Museum, the German Ceramics Museum and – the city's latest acquisition – the Film Museum. However, Karlstadt also houses monumental banks and office buildings dating from the turn of the century. The visitor should take time to explore this quarter – it is certainly worthwhile, and there are abundant opportunities to take a break, for instance at *the Music Fountain at the Wilhelm-Marx House*.

Le quartier Karlstadt

Ce quartier se rattachant au sud de la vieille ville tient son nom de l'Electeur Karl Theodor von der Pfalz, c'est sous son règne que dans la seconde moitié du 18e siècle les travaux de construction ont commencé sur l'ancien site de la forteresse. „Les maîtres des ouvrages rivalisaient les uns avec les autres: qui construirait la maison la plus belle et la plus confortable" ainsi le globe-trotter Georg Forster a décrit l'esprit de renouveau de l'époque. Karlstadt devait bientôt être le quartier favori de Düsseldorf – un label que beaucoup lui accordent encore aujourd'hui. Nombre de rues ont su conserver leur charme historique, telle la *Citadellstraße* ou la Bilker Straße. Sur le Spee'schen Graben (ancien fossé) se dressent les remparts de l'ancienne forteresse, un peu plus au nord à proximité de la Rheinuferpromenade (l'allée longeant la rive) on a mis à jour l'ancien bassin. Le quartier Karlstadt héberge une multitude de galeries, de boutiques d'antiquaires et de métiers d'arts. S'y ajoutent des adresses notoires, tels que l'institut Heinrich-Heine, le musée municipal, le musée allemand de la céramique ainsi que – le dernier-né de la ville – le musée du film. Dès le début du siècle d'énormes immeubles administratifs et bancaires se sont implantés à Karlstadt. Il est conseillé de prendre son temps pour découvrir ce quartier, qui en vaut la peine, et les occasions pour faire une pause se présentent tout au long de l'itinéraire, telle par exemple *la fontaine Musikbrunnen devant l'édifice Wilhelm-Marx-Haus*.

Oase im Herzen der Stadt: Am Musikbrunnen hinterm Wilhelm-Marx-Haus.

A haven of peace at the heart of the city: the Music Fountain behind the Wilhelm Marx House.

Oasis au centre de la ville: la fontaine de la musique derrière l'édifice Wilhelm-Marx-Haus.

Bistro und barocke Bauten:
Die Citadellstraße.

Bistro and baroque buildings:
the Citadellstrasse.

Bistro et édifices baroques:
La Citadellstraße.

S. 28: Mariensäule am Maxplatz, 1872 errichtet (o. l.); Blick in die Bäckerstraße mit dem Spee'schen Palais zur Rechten, welches das Stadtmuseum beherbergt (o. r.); Garten des Spee'schen Palais' (u.). - S. 29: Sonnenuhren am Spee'schen Palais (o. l.); in der Bilker Straße Nr. 15 wohnten einige Zeit Clara und Robert Schumann (u. l.). Markt auf dem Karlplatz (u. r.).

P. 28: Statue to St. Mary at the Maxplatz, dating from 1872 (top left); view of Bäckerstrasse with the Spee'sche Palace, which houses the Municipal Museum, on the right (top right); garden of the Spee'sche Palace (bottom).- P. 29: Sundials on the Spee'sche Palace (top left); 15 Bilker Strasse was home for some time to Clara and Robert Schumann (bottom left). Market at the Karlplatz (bottom right).

P. 28: la colonne de Marie sur la Marxplatz, érigée en 1872 (en haut à gauche; vue sur la Bäckerstraße avec le Spee'schen Palais à droite, là se trouve le musée municipal (en haut à droite); le jardin du Spee'schen Palais(en bas). P. 29: Cadrans solaires du Spee'schen Palais (en haut à gauche); Clara et Robert Schumann ont habité quelque temps dans la Bilker Straße 15 (en bas à gauche). Marché sur la Karlplatz (en bas à droite).

Dauergast im Garten des Stadtmuseums: „Alte Frau im Sessel"
von Waldemar Otto.

A permanent guest in the garden of
the Municipal Museum: "Old Lady in
Armchair" by Waldemar Otto.

Résidente à vie dans le jardin du musée
municipal pour la: „Vieille dame dans le
fauteuil" de Waldemar Otto.

Die Kö

Die Königsallee, kurz Kö genannt, gilt vielen als Inbegriff von Düsseldorf. Das ist zweifellos eine Übertreibung, schließlich besteht nicht die ganze Stadt aus Luxus. Andererseits, was wäre sie ohne diesen? Und ohne die Kö als seinen wichtigsten Tummel- und Umschlagplatz? Wer gut und teuer einkaufen möchte, kommt hierher (was nicht heißt, daß es auf dieser Shopping-Meile nur Angebote für Großverdiener gäbe). Auch für das beliebte Gesellschaftsspiel des Sehens und Gesehenwerdens stellt die Kö einen idealen Laufsteg dar. Im übrigen aber ist sie tatsächlich ein schöner, großzügiger Boulevard mit Straßencafés, mit Platanen am Wassergraben, mit Brunnen, Brücken und Skulpturen. Die Düsseldorfer sind stolz darauf und nutzen den Kilometer auch für mancherlei Festivitäten, vom Karneval bis zum Marathonlauf. Früher hieß die Straße übrigens Kastanienallee. Ihren heutigen Namen verdankt sie paradoxerweise einem antiköniglichen Vorfall: Im Revolutionsjahr 1848 bereitete hier eine aufgebrachte Volksmenge dem durchreisenden König Friedrich Wilhelm IV. einen bitterbösen Empfang. Es sollen sogar „Pferdeäpfel" geflogen sein. Als Wiedergutmachung benannten dann die Stadtoberen die Allee untertänigst um.

The Kö

To many people, the Königsallee, known popularly as the Kö, is the essence of Düsseldorf. That is undoubtedly an overstatement: after all, the entire city does not consist of luxury. On the other hand, what would the city be without it? And without the Kö with its popular and commercial appeal? The customer looking for quality at a price comes here (though this is not to say that offers on this shopping mile are confined to the wealthy). The Kö is an ideal "catwalk", too, for the popular social occupation of seeing and being seen. Yet it is also, in fact, an attractive, spacious boulevard with open-air cafés, with plane trees by the moat, with fountains, bridges and sculptures. The local people are proud of it and use the mile for many a festivity, ranging from Carnival to marathon racing. This boulevard, incidentally, was formerly called Kastanienallee, meaning Chestnut Boulevard. It owes its present name paradoxically to an anti-royalist incident: In 1848, the year of the Revolution, an enraged mob gave King Friedrich Wilhelm IV an extremely angry reception as he passed through the city. Even horse droppings are said to have been used as missiles. To make amends, the councillors then humbly renamed the boulevard.

La Kö

La Königsallee, en abrégé Kö, est pour beaucoup le symbole de Düsseldorf. C'est sans aucun doute une exagération, car la ville toute entière n'est pas symbole de luxe. Mais que serait-elle sans ce dernier? Et sans la Kö son artère principale où circulent les gens et l'argent? Qui veut acheter bien et payer cher, vient là (cela ne signifie pas que cette rue commerçante n'offre que des produits pour les grosses bourses). Elle sert également d'estrade pour le fameux jeu de société „voir et se faire voir". Elle est par ailleurs vraiment un beau boulevard agréablement aménagé avec des terrasses de cafés, des platanes, des fontaines, des ponts et des sculptures. Les citoyens de Düsseldorf en sont fiers et sur sa longueur d'un kilomètre ils organisent toute sorte de fêtes, du carnaval jusqu'au marathon.
Jadis cette rue portait le nom Kastanienallee. Paradoxalement, elle tient son nom actuel d'un événement anti-royaliste: en 1848, l'année de la révolution, une population emportée avait réservé un très mauvais accueil au roi Frédéric-Guillaume IV lors de son passage. On lui aurait même lancé du crottin de cheval. Les magistrats de la ville ont humblement rebaptisé la rue, en quelque sorte un acte de réparation.

„Die Kugelspielerin" von Walter Schott, 1932 aufgestellt im Blumengarten am Südende der Kö (S. 32 o. l.). - Der gelungene Jugendstil-Kaufhausbau – vormals Tietz – von 1909 markiert den nördlichen Anfang des Boulevards (o. r.).

"Girl playing boule" by Walter Schott, set up in 1932 in the flower garden at the southern end of the Kö (p. 32, top left).- The attractive Art Nouveau department store building dating from 1909 and originally owned by the Tietz family marked the northern end of the boulevard (top right).

„La joueuse à la boule" de Walter Schott, dressée en 1932 dans le jardin au bout sud de la Kö (p. 32 en haut à gauche). Le grand magasin style Art nouveau, – autrefois Tietz – datant de 1909 est situé au bout nord du boulevard (en haut à droite).

Die Kö ist ein Vielzweck-Boulevard. Einmal im Jahr zum Beispiel wird sie zur Langlaufstrecke.

The Kö is a multi-purpose boulevard. Once a year, for instance, it forms part of a marathon course.

La Kö est un boulevard polyvalent. Une fois par an par exemple, elle se transforme en piste de course.

Oberkassel

Vom Rhein umflossen, der hier eine malerische Schleife zieht (S. 37 o.), liegt gegenüber der Düsseldorfer Altstadt, auf der „angere Sitt" – der anderen Seite –, Oberkassel. Der Aufstieg dieses einstigen Dörfchens zum gediegenen Wohnviertel begann vor genau hundert Jahren. 1896 gründeten Düsseldorfer Industrielle die Rheinbahn-Gesellschaft, nahmen den Bau einer Brücke in Angriff und verwandelten gleichzeitig ganz Oberkassel in Bauland. Binnen weniger Jahre wuchs hier – vor allem zwischen Luegallee und Düsseldorfer Straße – ein Ensemble gepflegter Bürgervillen im historistischen und auch Jugendstil aus dem Boden. Da es von Weltkriegsbomben vergleichsweise verschont blieb, erfreut seine ehrwürdige Substanz Bewohner und Besucher bis heute. Im schicken Oberkassel leben viele Freiberufler und Künstler, und allerlei Modefirmen, Werbeagenturen und Beratungsgesellschaften schätzen sich glücklich, hier ihre Adresse zu haben. Östlich des Belsenplatzes beginnt das industrielle „Hinterland" mit Traditionsbetrieben, modernen Niederlassungen und gerade im Bau befindlichen neuen Arealen für Arbeit, Freizeit und Konsum. Oberkassels nördlicher Nachbar ist Niederkassel, wo noch alte Dorfatmosphäre zu spüren ist.

Encircled by the Rhine, which takes a picturesque curve here (p. 37, top), and across the river from Düsseldorf city centre is Oberkassel. The rise of this former village into a highly desirable residential area began just one hundred years ago. In 1896, Düsseldorf industrialists founded the Rhine Railway Company and had a bridge built, turning the whole of Oberkassel at the same time into building land. Within a few years, a collection of high-class villas in historic and Art Nouveau style had grown up here, especially between Luegallee and Düsseldorfer Strasse. As Oberkassel survived the World Wars relatively undamaged, it is still a source of pleasure to residents and visitors alike. Large numbers of freelancers and artists live in this fashionable area, and fashion houses, advertising agencies and consultancy companies of all kinds enjoy the privilege of having their address here. To the east of Belsenplatz is the industrial "hinterland" with traditional firms, modern branch establishments and new areas undergoing development for the work, leisure and consumer sectors. Oberkassel's northern neighbour is Niederkassel, which has preserved much of its former village atmosphere.

Entouré du Rhin qui à cet endroit, dessine une charmante boucle (p. 37 en haut), Oberkassel est situé vis-à-vis de la vieille ville de Düsseldorf, „auf der angere Sitt" en patois régional pour dire „auf der anderen Seite" – de l'autre côté –. L'évolution de cet ancien village, le transformant en un quartier résidentiel, a commencé il y a exactement un siècle. En 1896 des industriels de Düsseldorf on fondé la société „Rheinbach-Gesellschaft", ils ont entrepris la construction d'un pont et ont fait de Oberkassel une zone à bâtir. En peu de temps a été réalisé un ensemble de villas bourgeoises en style historique et en art nouveau – surtout entre la Luegallee et la Düsseldorfer Straße –. Ces constructions ayant été largement épargnées des bombardements de la guerre mondiale, plaisent encore aujourd'hui, tant à leurs habitants qu'aux visiteurs. Le quartier chic de Oberkassel est lieu de résidence pour les professions libérales, les artistes, de nombreuses maisons de couture, des agences de publicités et des sociétés conseillères affichent avec fierté leur adresse ici. A l'est de la Beisenplatz commence „l'arrière-pays" industriel avec des exploitations traditionnelles, des filiales modernes et des superficies en train de se transformer en nouveaux sites d'activité, de loisirs et de consommation. Le voisin au nord de Oberkassel s'appelle Niederkassel, là on sent encore l'air villageois d'antan.

Jeden Sommer wird es in Oberkassel für ein paar Tage eng und laut: Die große Kirmes am Rhein öffnet ihre Buden.

Every summer, Oberkassel has a few crowded, noisy days: the huge fair on the Rhine opens up its booths.

Chaque année en été on se bouscule à Oberkassel, et le bruit se fait fort: la grande fête populaire sur le Rhin ouvre ses stands.

Barbarossaplatz und Luegplatz,
beide an der Hauptachse des
Stadtteils, der Luegallee, gele-
gen.

Barbarossaplatz and Luegplatz,
two squares on the main
thoroughfare of this quarter, the
Luegallee.

Barbarossaplatz et Luegplatz,
toutes deux situées sur l'artère
principale du quartier

Die Oberkasseler Rheinwiesen (o. r.) bieten Platz für vielerlei Vergnügungen, vom Jogging bis zum Drachenflug.

Oberkassel's Rhine meadows (top right) offer space for all kinds of recreational activities, from jogging to kite-flying.

Sur les rives du Rhin, les „Oberkasseler Rheinwiesen" (en haut à droite), un lieu favori pour toute sorte de loisirs, du jogging jusqu'au cerf-volant.

Bilk und der Hafen

Den besten, ja grandiosesten Blick auf dieses Gebiet, wie auf die Stadt überhaupt, hat man vom alles überragenden Rheinturm herab *(S. 40: durch Norbert Krickes Stahlplastik „Bewegung" am Mannesmannufer gesehen)* – womöglich vom Restauranttisch aus, der samt der ganzen Turmetage langsam seine Runde dreht. Unmittelbar zu Füßen liegt das neue Gebäude des Landtages von Nordrhein-Westfalen mit seiner originellen, ganz aus Kreis-Elementen komponierten Architektur. 1988 wurde es eingeweiht, nachdem das pittoreske alte Ständehaus, nicht weit entfernt am Schwanenspiegel liegend, für die gewachsenen Ansprüchen zu klein geworden war. Westlich des Rheinturms erstreckt sich der Düsseldorfer Handelshafen. Vor 100 Jahren geschaffen, hat er inzwischen viel von seiner klassischen wirtschaftlichen Bedeutung verloren. Stattdessen wandelt er sich nun in einen Standort für moderne Medien und Dienstleistungsunternehmen. Der Westdeutsche Rundfunk sendet von hier sein landespolitisches Hör- und Fernsehprogramm, hinzu kommen der US-amerikanische Kinderprogramm-Anbieter Nickelodeon, RTL, Deutsche Fernsehnachrichtenagentur, Antenne Düsseldorf und andere. Modefirmen, Werbeagenturen und Künstler gehen im Hafen ebenfalls „vor Anker". Es herrscht rege Bautätigkeit, und renommierte Architekten aus dem In- und Ausland drücken dieser „Meile der Kreativen" ihren Stempel auf.

Bilk and the port

The best, the most magnificent view of this area, and from the city as a whole, can be enjoyed from the highest structure, the Rhine Tower *(p. 40: seen through Norbert Kricke's steel sculpture "Motion" on the Mannesmann Embankment)* – perhaps from the restaurant, which rotates slowly with the entire storey. Right at its feet is the new building of the Federal State Parliament of North Rhine-Westphalia with its creative architecture based solely on spherical elements. It was inaugurated in 1988, when the picturesque historic Ständehaus – not far away at the Schwanenspiegel pool – had become too small to meet the growing demands. To the west of the Rhine Tower is Düsseldorf's trading port. Developed 100 years ago, it has now lost much of its classic economic significance. Instead, it is turning into a location for modern media and service enterprises. It is from here that West German Radio transmits its radio and television programmes covering state politics. Other companies represented here include Nickelodeon, an American children's programme company, RTL (Radio Luxembourg), the German Television News Agency, local radio and television stations. Fashion houses, advertising agencies and artists also "drop anchor" at the port. The area is alive with building activity, and renowned German and foreign architects are making their mark on the "creative mile".

Bilk et le port

C'est de la Rheinturm, que l'on peut admirer le panorama le plus grandiose de ce quartier et de la ville – au mieux d'une table du restaurant situé à l'étage pivotant de la tour – *(p.40: vue de la sculpture d'acier „Mouvement" de Norbert Kricke sur la Mannesmannufer).* Au pied de la tour se trouve le nouveau parlement du Land de Rhénanie-du-Nord-Westphalie avec son architecture originale entièrement composée d'éléments ronds. Il a été inauguré en 1988, en remplacement de l'ancien domicile pittoresque du gouvernement devenu trop étroit. A l'ouest de la Rheinturm s'étend le port marchand de Düsseldorf. Depuis sa création il y a 100 ans, il a beaucoup perdu de sa traditionnelle importance économique. Actuellement il change de vocation se transformant en un site accueillant les médias et des entreprises modernes du secteur tertiaire. C'est d'ici que la chaîne audiovisuelle Westdeutscher Rundfunk émet ses programmes de politique locale radiophoniques et télévisés, sont également implantés ici la chaîne américaine Nickelodeon offrant un programme pour les enfants, RTL, l'agence allemande de l'information télévisée, l'Antenne Düsseldorf et beaucoup d'autres. Des maisons de couture, des agences de publicité, des artistes ont également „jeté l'ancre" dans le port. Les travaux de construction battent leur plein et des architectes renommés d'Allemagne et de l'étranger apposent leur cachet à ce „site de la créativité".

Blick vom Hafen auf Rheinturm, Landtag und Rheinkniebrücke. Aus der Ferne grüßt links Sankt Lambertus.

View from the port towards the Rhine Tower, State Parliament building and "Rhine Bend Bridge". St. Lambert's church can be seen on the far left.

Vue du port sur la tour Rheinturm, le parlement du Land, et le pont Rheinkniebrücke. Au loin on aperçoit St. Lambertus.

S. 44: Der Landtag mit der Skulptur „Energie-pyramide" (o.) und das Gebäude des WDR am Hafen (u.). – S. 45: Sternwartmal vor der alten Martinskirche in Bilk (o. l.); der 234 Meter hohe Rheinturm (o. r.); Figurengruppe von Bert Gerresheim vor der Josefskirche in Oberbilk (u.).

P. 44: The State Parliament with the "Energy Pyramid" sculpture (top) and the West German Radio (WDR) building at the port (bottom). - P. 45: Observatory monument in front of the ancient St. Martin's Church in Bilk (top left); the 234 meter high Rhine Tower (top right); group of figures by Bert Gerresheim in front of St. Joseph's Church in Oberbilk (bottom).

P. 44: Le parlement du Land avec la sculpture „Energiepyramide" (en haut) et l'immeuble de la chaîne Westdeutscher Rundfunk (WDR) près du port (en bas). - P. 45: Monument de l'obser-vatoire devant la vieille église St. Martin à Bilk (en haut à gauche); la Rheinturm de 234 mèt-res de haut (en haut à droite); Groupe de Bert Gerresheim devant l'église St. Joseph à Oberbilk (en bas).

Aus dem Hafen senden der WDR (m., u. r.), der Kinder-Kanal Nickelodeon (o. r.) und andere. Vom Rheinturm aus (S. 47) hat man den allerbesten Fern- und Überblick.

Programmes are transmitted from the port by West German Radio (centre, bottom right), the children's channel Nickelodeon (top right) and other stations. The best panoramic view of all can be enjoyed from the Rhine Tower (p. 47).

Les chaînes du WDR (au milieux, en bas, à droite), de Nickelodeon, chaîne pour enfants, (en haut à droite) et d'autres émettent à partir. De la tour Rheinturm (p. 47) on a le meilleur panorama.

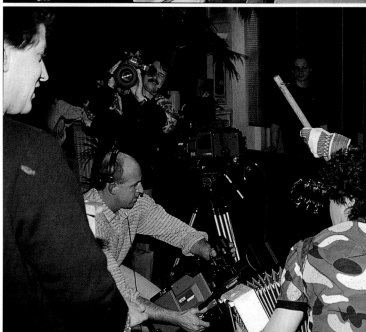

Ein Posten ist vakant! — Die Wunden klaffen —
Der Eine fällt, die Andern rücken nach —
Doch fall ich unbesiegt, und meine Waffen
Sind nicht gebrochen — Nur mein Herze brach.

Universitäts
und Landes
Bibliothek

Die Universität

Düsseldorfs alma mater ist eine junge Einrichtung. Dabei wäre sie im Jahre 1812 schon fast ins Leben gerufen worden. Kaiser Napoleon hatte ein entsprechendes Dekret bereits unterzeichnet. Doch bekanntlich war es um seine Macht, nicht nur am Rhein, bald darauf geschehen. Die Düsseldorfer Universität sollte sich erst ein Jahrhundert später entwickeln – aus der 1907 gegründeten Akademie für praktische Medizin. Als sich 1966 die Hochschule förmlich konstituierte, bestand sie zunächst nur aus einer Medizinischen und einer kombinierten Naturwissenschaftlich-Philosophischen Fakultät. Inzwischen trägt sie nicht nur den Namen Heinrich Heines *(S. 48 o.: Gedenkstein mit eingravierten Zeilen des Dichters)*, sie umfaßt auch längst fünf eigenständige Fakultäten: die Philosophische – als größte –, die Mathematisch-Naturwissenschaftliche, die Medizinische, die Wirtschaftswissenschaftliche und – als kleinste – die Juristische. Die Zahl der Studierenden ist jüngst auf über 21.000 geklettert. An den Instituten der Düsseldorfer Universität werden viele bedeutende Forschungsprojekte realisiert – von der (fast abgeschlossenen) kritischen Heine-Gesamtausgabe über die Nuklearmedizin bis zur Biotechnologie. Einen imposanten Wissensspeicher inmitten des Campus stellt *die Universitäts- und Landesbibliothek (S. 48 u. r.)* samt ihrer elektronischen Datenbank dar.

The University

Düsseldorf's Alma Mater is a young establishment, although it came close to being inaugurated in 1812, with the Emperor Napoleon having signed a corresponding decree. However, his rule soon came to an untimely end, not only on the Rhine, and Düsseldorf University was to wait another hundred years for its development – from the Academy of Medical Practice, founded in 1907. When the university was formally inaugurated in 1966, it comprised only a faculty of medicine and a combined faculty of natural sciences and philosophy. Meanwhile it not only bears the name of Heinrich Heine *(p. 48, top: memorial with engraved lines by the poet)* but has long since had five independent faculties, those of philosophy – as the largest –, mathematics and natural sciences, medicine, economics and – as the smallest – law. The number of undergraduates has recently passed the 21.000 mark. A number of significant research projects, ranging from the (almost completed) critical complete works of Heine to nuclear medicine and biotechnology, are being carried out at institutes within Düsseldorf University. *The University and Federal State Library (p. 48, bottom right)* at the heart of the campus represents, together with its electronic database, an imposing reserve of knowledge.

L'université

L'Alma mater de Düsseldorf est une institution jeune. Elle avait bien failli voir le jour en 1812. L'empereur Napoléon avait déjà signé un décret correspondant, or son règne devait bientôt prendre fin, non seulement sur le Rhin. Ce n'est qu'un siècle plus tard que l'académie de médecine générale – fondée en 1907 – sera transformée en université. Lorsqu'en 1966 l'université a été formellement constituée, elle ne comprenait que la faculté de médecine et la faculté combinée des sciences naturelles et la philosophie. Depuis elle ne porte non seulement le nom de Heinrich-Heine *(p.48 en haut: plaque commémorative gravée de vers de l'écrivain)*, elle comprend également cinq facultés indépendantes: la plus grande est la faculté de philosophie, puis la faculté des mathématiques et des sciences naturelles, de la médecine, des sciences économiques, et – la plus petite – la faculté des droits. Le nombre d'étudiants a récemment dépassé les 21.000. De nombreux grands projets de recherche sont réalisés dans les instituts de l'université de Düsseldorf – allant de l'édition complète (presque achevée) de l'œuvre critique de Heine passant par la médecine nucléaire jusqu'à la technologie biologique. *La bibliothèque de l'université et du Land au centre du campus (p.48 en bas à droite)*, avec sa banque de données électronique, égale un véritable grenier intellectuel.

Die ehemaligen Städtischen Kranken-
anstalten bilden den historischen
Kern der Universität.

The former Municipal Hospital
Group forms the historic core of
the university.

L'ancien hôpital municipal,
forme le centre historique
de l'université.

Unter der Kuppel im universitätseigenen
botanischen Garten gedeihen Pflanzen
aus fünf Erdteilen.

Plants from five continents flourish
beneath the dome in the university's
botanical garden.

Sous la coupole située dans la jardin
botanique de l'université poussent des
plantes provenant des cinq continents.

Die Kunststadt

Düsseldorfs Aufstieg zur Kunststadt begann vor gut 300 Jahren: Kurfürst Johann Wilhelm und seine toskanische Gemahlin Anna Maria Luisa holten in großem Stil Kunst und Künstler an ihren Hof. Bald entstand eine Gemäldesammlung von Rang, die zwar später in andere Residenzstädte abwanderte, aber ihrerseits zum Ausgangspunkt einer Akademie der Schönen Künste wurde – der Vorläuferin jener Institution also, die bis heute Düsseldorfs Ruf als Nachwuchsschmiede für die künstlerische Avantgarde wachhält. Rund tausend Künstlerinnen und Künstler leben und arbeiten in der Stadt – manche auf großem Fuß, andere eher unter Mühen, die sie tapfer ertragen, in Erwartung ihres großen Durchbruchs auf dem Markt.

Eine Reihe von Düsseldorfs bedeutendsten Kunstmuseen, -institutionen und Ausstellungshallen liegt entlang einer übersichtlichen Fußgängerroute, der sogenannten „Kunstachse". Sie beginnt am Ehrenhof und führt an Tonhalle und Kunstakademie vorbei bis zum Grabbeplatz. Doch hier ist die Kunststadt Düsseldorf nicht zuende. Da gibt es noch die Museen der Karlstadt, ein Netz von Galerien und Kunsthandlungen, mannigfache Kunstwerke unter freiem Himmel wie auch in den Etagen kapitalkräftiger Sponsoren. Und selbst tief unter der Erde, in einem spitz zulaufenden Zwischenraum des Rheinufertunnels, läßt sich Kunst erleben.

The city of art

Düsseldorf's development into a city of art began a good 300 years ago: the Elector Johann Wilhelm and his Tuscan wife Anna Maria Luisa brought art and artists to their court in the grand manner. They soon established an art collection of rank which, although it eventually made its way to other residence cities, was the starting point for an Academy of Fine Arts – in other words the forerunner of that institution which still keeps inspired Düsseldorf's reputation as a base for the up-and-coming generation of avant-garde artists. About one thousand artists live and work in this city, some well established, others struggling bravely in hopes of a major breakthrough on the market.

A number of Düsseldorf's main art museums, institutions and exhibition halls are located along a clear-cut pedestrian route known as the "art axis". It starts at the Ehrenhof and leads past the Concert Hall and Academy of Art to the Grabbeplatz. Yet Düsseldorf as a city of art does not end here. There are still the Karlstadt museums, a network of galleries and art salesrooms, and a wide range of works of art in the open air and on the premises of prosperous sponsors. And even deep underground, in a wedge-shaped space within the Rhine Embankment Tunnel, art is to be found.

La ville artistique

Il y a bien 300 ans que Düsseldorf a entrepris sa vocation artistique: l'Electeur Johann Wilhelm et son épouse Anna Maria Luisa, originaire de la Toscane, ont fait venir à leur cour les arts et les artistes. Une remarquable collection de tableaux a été rassemblée, elle fut cependant transférée dans d'autres résidences, mais elle était le point de départ d'une académie des beaux arts – le précurseur de cette institution qui justifie aujourd'hui encore la réputation de Düsseldorf en tant que forge de la relève de l'avant-garde artistique. Quelque mille artistes vivent et œuvrent dans la ville – les uns menant un grand train, les autres avec quelque peine qu'ils supportent courageusement en attendant leur grande percée sur le marché. Plusieurs grands musées, institutions artistiques et salles d'exposition de Düsseldorf se trouvent le long d'un itinéraire piéton, ladite „Kunstachse" – l'artère des arts –. Elle commence au Ehrenhof, passant par la Tonhalle, et l'académie des arts, jusqu'à la Grabbeplatz. Ce n'est pas tout ce que Düsseldorf offre comme trésor artistique, il y a encore les musées de Karlstadt, un réseau de galeries et de commerces, de multiples œuvres au plein air et dans les étages des sponsors richissimes. On peut même rencontrer l'art, sous la terre, dans un espace intermédiaire du tunnel de la rive du Rhin.

Die Kunstsammlung Nordrhein-Westfalen am Grabbeplatz mit ihrer imposanten schwarzen Granitfassade, die an einen Konzertflügel erinnert, 1986 fertiggestellt nach Entwürfen der dänischen Architekten Dissing und Weitling. Ausgehend von einer Sammlung von Werken Paul Klees entstand hier eine bedeutende Kollektion moderner Kunst.

The North Rhine-Westphalian Art Gallery at the Grabbeplatz with its impressive black granite façade, reminiscent of a grand piano, completed in 1986 to plans by the Danish architects Dissing and Weitling. Starting with a collection of works by Paul Klee, a significant collection of modern art has been established here.

La maison des arts de la Rhénanie-du-Nord-Westphalie à la Grabbeplatz avec son imposante façade en granit noir, rappelant un piano de concert a été achevée en 1986 selon des plans des architectes danois Dissing et Weitling. Partant d'une collection des œuvres de Paul Klee on a rassemblé ici une remarquable collection d'arts modernes.

S. 54: Die Kunstakademie, das kreative „Hauptlabo-
ratorium" der Stadt (o.). Der Ecuadorianer Luis
Guerrero an seiner „Huaca"-Skulptur im Garten des
Stadtmuseums (u. m.). Graffiti von Harald Naegeli
gehören ebenso zum Stadtbild wie die seiner Nach-
ahmer (u. r.). - S. 55: Schadows marmorne „Prinzes-
sinnen von Preußen" zu Gast in der Städtischen
Kunsthalle, die Joseph Beuys um ein originelles Ofen-
rohr bereichert hat (r.).

P. 54: The Academy of Art, the creative "number one
laboratory" of the city (top). The Ecuadorian Luis
Guerrero with his "Huaca" sculpture in the garden of
the Municipal Museum (bottom centre). Graffiti by
Harald Naegeli leave their mark on the city just like
those of lesser artists (bottom right). - P. 55:
Schadow's marble "Princesses of Prussia" as guests
of the Municipal Art Gallery, enriched by Joseph
Beuys with an original stove pipe (right).

P. 54: L'académie des arts, le „principal laboratoire"
créatif de la ville (en haut). L'Equatorien Luis Guerrero travaillant sa sculpture „Huaca" dans le jardin
du musée municipal (en bas au milieu). Les Graffiti
de Harald Naegeli font partie du décor de la ville
tout comme ceux de ses imitateurs (en bas à droite).
P.55: Les „Princesses de Prusse" en marbre de Schadow, dans le hall des arts municipal. Joseph Beuys y
ajouta un tuyau de fourneau (à droite).

50 Jahre Werbung
in Deutschland 1945-1995

Deutsches Werbemuseum e.V.

Kunstpalast Düsseldorf
2. Juni 1995 bis 23. Juli 1995
Di - So 10:00 bis 18:00, Fr bis 24:00 Uhr
Kunstpalast Düsseldorf, Ehrenhof 4, Telefon 0211-8992460/2290

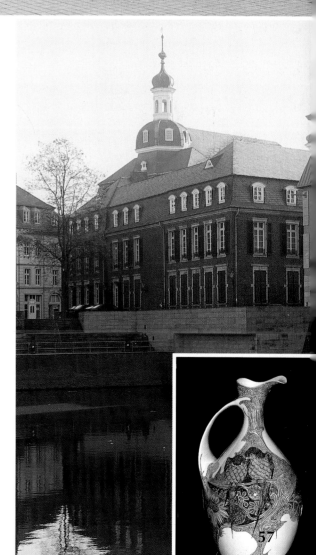

S. 56: Facetten des Düsseldorfer Kunstlebens. Das Steinrelief am Kunstpalast im Ehrenhof, „Die drei Künste" darstellend – Malerei, Bildhauerei und Architektur –, stammt von Karl Moritz Schreiner. – S. 57: Erweiterungsbau des Stadtmuseums an der Berger Allee (o.), entworfen von Niklaus Fritschi. Im Palais Nesselrode aus dem 18. Jahrhundert residiert das Hetjens-Museum, Deutschlands wohl bedeutendste Keramik-Sammlung (u.).

P. 56: Aspects of Düsseldorf art. The stone relief at the Palace of Art in the Ehrenhof, representing "The Three Arts" – painting, sculpture and architecture – is by Karl Moritz Schreiner. P. 57: Extension to the Municipal Museum on the Berger Allee (top), designed by Niklaus Fritschi. The 18th century Palais Nesselrode houses the Hetjens Museum, Germany's most important ceramics collection (bottom).

P.56: Facettes de la vie artistique de Düsseldorf. Relief en pierre du palais des arts dans le Ehrenhof, représentant „Les trois arts" – la peinture, la sculpture et l'architecture – une œuvre de Karl Moritz Schreiner. -P.57: Elargissement du musée municipal dans la Berger Allee (en haut), selon les plans de Niklaus Fritschi. Le musée „Hetjens Museum" rassemblant la plus importante collection de céramique en Allemagne (en bas), se trouve dans le palais Nesselrode qui date du 18e siècle.

57

Der Ehrenhof, 1926 fertiggestellt – ein bedeutendes Beispiel expressionistischer Baukunst.

The Ehrenhof complex, completed in 1926 – an important example of Expressionist architecture.

Le Ehrenhof achevé en 1926, un exemple remarquable de l'architecture expressionniste.

Die Tonhalle, das frühere Planetarium der Stadt.

The Concert Hall, the former city planetarium.

La Tonhalle, l'ancien planétarium de la ville.

59

Pallas Athene (o.) und die Planetengruppe „Venus und Saturn" (u. l.), zu der es noch ein Pendant mit „Mars und Jupiter" gibt, wachen vor dem Gebäude der Tonhalle.

Pallas Athene (top) and the planetary group "Venus and Saturn" (bottom left), for which there is a companion piece "Mars and Jupiter", keep watch in front of the Concert Hall.

Pallas Athene (en haut) et le groupe de planètes „Vénus et Saturne" (en bas à gauche), dont il existe un pendant avec „Mars et Jupiter" montent la garde devant la Tonhalle.

„Zeitfeld" von Klaus Rinke am Volksgarten (o.). „Die Streitenden" von K. H. Seemann, vielbeschmunzeltes Duo in der Altstadt (u. r.). Im Lantz'schen Park, im Norden Düsseldorfs, steht die „Tube, auf ihren Inhalt gestützt" von Claes Oldenburg.

"Time Field" by Klaus Rinke at the Volksgarten (top). "The Quarrellers" by K. H. Seemann, a duo which raises many a smile in the city centre (bottom right). In Lantz'schen Park, to the north of Düsseldorf, stands the "Tube, resting on its content", by Claes Oldenburg.

„Zeitfeld" de Klaus Rinke devant le parc Volksgarten (en haut). „Dispute" de K.H. Seemann, ce duo se trouve dans la vieille ville, il provoque les sourires complaisants. Dans le Lantz'schen Park au nord de Düsseldorf se trouve le „Tube sur son contenu" de Claes Oldenburg.

62 *Kubische Eisenplastik von Eduardo Chillida vor dem Thyssen-Hochhaus.* *Cubical iron sculpture by Eduardo Chillida in front of the Thyssen skyscraper.* *Sculpture cubique en fer de Eduardo Chillida devant la tour de Thyssen.*

Zwei Flaggschiffe der Düsseldorfer Kultur: Das Schauspielhaus (o.) und die Oper (u.). Eine Skulptur im Hofgarten erinnert an den legendären Düsseldorfer Schauspieler und Intendanten Gustaf Gründgens (u. l.).

Two flagships of Düsseldorf culture: the Playhouse (top) and the Opera House (bottom). A sculpture in the Hofgarten is a memorial to the legendary Düsseldorf actor and theatre director Gustaf Gründgens (bottom left).

Deux "vaisseaux" de la culture à Düsseldorf: le théâtre (en haut) et l'opéra (en bas). Une sculpture dans le parc Hofgarten en souvenir de Gustav Gründgens, acteur et intendant ayant fait légende à Düsseldorf (en bas à gauche).

Düsseldorf und Heine

„Mein Ruhm schläft jetzt noch in den Marmorbrüchen von Carrara", schrieb der junge Heinrich Heine übermütig, „und wenn jetzt die grünverschleierten, vornehmen Engländerinnen nach Düsseldorf kommen, so lassen sie das berühmte Haus noch unbesichtigt und gehen direkt nach dem Marktplatz". Das hat sich inzwischen geändert. Man kommt heute nicht zuletzt Heines wegen nach Düsseldorf, besucht *das Museum in der Bilker Straße (S. 64)* und schenkt natürlich auch dem „berühmten Haus", der Geburtsstätte des Dichters in der Altstadt nämlich, die gebührende Aufmerksamkeit. Freilich, kaum irgendwo hat die fällige Anerkennung für Heinrich Heine derart lange auf sich warten lassen wie gerade in seiner Heimatstadt. Als radikaler Freigeist, Demokrat und Kosmopolit war er vielen ein Dorn im Auge. Das hatte sogar zur Folge, daß ein von der österreichischen Kaiserin Elisabeth gestiftetes Heine-Denkmal, statt wie vorgesehen in Düsseldorf, in New York landete. Und noch vor zehn Jahren stritt man heftig darüber, ob Heinrich Heine ein würdiger Namensgeber für die hiesige Universität sei. Solche Querelen sind nun ausgestanden, und wenn Heines respektloser, ironischer Ton auch immer noch zu provozieren vermag (so er zur Kenntnis genommen wird) – Düsseldorf weiß mittlerweile doch, was es an seinem berühmten, bald 200 Jahre alten Sohn hat.

Düsseldorf and Heine

"My fame is still dormant in the marble quarries at Carrara", wrote the young Heinrich Heine high-spirited, "and when the green-veiled, high-society English ladies now come to Düsseldorf, they still leave the famous house unvisited and go direct to the Market Square". This has changed in the meantime. Some of those coming to Düsseldorf are on a veritable Heine pilgrimage, visiting *the museum in the Bilker Strasse (p. 64)* and, of course, paying due attention to the "famous house", the birthplace of the poet in the city centre. Admittedly, hardly anywhere did the due recognition for Heinrich Heine take so much time to appear as in his home city. As a radical free spirit, democrat and cosmopolitan, he was a constant source of irritation to many people. One outcome of this was that a memorial to Heine donated by Elisabeth, Empress of Austria, landed in New York instead of in Düsseldorf as planned. And a mere ten years ago, the question of whether the name of Heinrich Heine was worthy of the local university was still being fiercely debated. Such disputes are now a thing of the past, and even though Heine's disrespectful, ironic tone may still be a source of provocation (as he is interpreted) – Düsseldorf is now aware of the status of its famous, almost 200-year-old son.

Düsseldorf et Heine

„Ma célébrité repose encore dans les carrières de marbre de Carrare", écrivit avec arrogance le jeune Heinrich Heine, „et lorsqu'à présent les nobles Anglaises, sous leurs voiles verts, viennent à Düsseldorf, elle passent devant la célèbre maison sans la visiter pour se rendre directement à la place du marché". Entre-temps cela a changé. Finalement on vient à Düsseldorf aussi pour Heine, on visite le *musée dans la Bilker Straße (p.64)* et bien entendu, on prête à la „célèbre maison" dans la vieille ville, la maison natale du poète, l'attention méritée. Certes, nulle part ailleurs on a mis aussi longtemps que dans sa ville natale, pour lui attribuer la reconnaissance méritée. En tant que libre penseur radical, démocrate et cosmopolite, il était pour beaucoup une bête noire. Une conséquence en a été qu'une statue de Heinrich Heine dont l'impératrice Elisabeth d´Autriche avait fait don, n'a pas atterri à Düsseldorf, mais à New York. Il y a dix ans encore on polémiquait sur la question, si Heinrich Heine était digne de ce que l'université de la ville porte son nom. De telles querelles ont à présent pris fin, et bien que le ton ironique et arrogant de Heine nourrisse toujours encore la provocation (à condition que l'on en prenne note) – Düsseldorf sait ce qu'elle doit à son célèbre fils qui va avoir bientôt 200 ans.

Im Heine-Geburtshaus in der Bolkerstraße befindet sich die Gaststätte „Schnabelewopski" (u.), so benannt nach einer satirisch-autobiographischen Romanfigur des Dichters. Hier finden regelmäßig Literaturveranstaltungen statt. Bert Gerresheims vexierartiges Heine-Denkmal am Schwanenspiegel, dessen Hauptteil die Totenmaske zitiert.

The house where Heine was born in the Bolkerstrasse now houses the "Schnabelewopski" pub (bottom), named after a satirically autobiographical figure in a novel by the poet. Regular literary events are held here. Bert Gerresheim's enigmatic Heine memorial at the Schwanenspiegel, whose main part shows the Death Mask.

Dans la maison natale de Heine, située dans la Bolkerstraße se trouve le café „Schnabelewopski" (en bas), portant le nom d'une figure autobiographique, satirique d'un roman de l'écrivain. Ici ont régulièrement lieu des manifestations littéraires. Le monument de Heine, au Schwanenspiegel, réalisé dans un style vexant par Bert Gerresheim, dont la partie principale montre le masque de la mort.

Mal leiser, mal spektakulärer geht es in Düsseldorfs Literaturleben zu. Im Bild Lyrikpreisträgerin Vera Henkel (o. l.), Schauspielerin Eva Schuckardt (u. l.), Kabarettist Konrad Beikircher (o. r.) und Rezitator Lutz Görner.

It is sometimes placid, sometimes spectacular on Düsseldorf's literary scene. The photo shows poetry prize winner Vera Henkel (top left), actress Eva Schuckardt (bottom left), cabaret artiste Konrad Beikircher (top right) and narrator Lutz Görner.

La vie littéraire de Düsseldorf est tantôt calme, tantôt spectaculaire. Portrait de Vera Henkel lauréate du concours lyrique (en haut à gauche), l'actrice Eva Schuckardt (en bas à gauche), l'acteur populaire Konrad Beikircher (en haut à droite) et le récitant Lutz Görner.

Nacht der Satire
Eine Veranstaltung im Rahmen des
Düsseldorfer Bücherbummels
In der Kö Galerie
Freitag, 12. Mai, ab 21.30 Uhr

KÖ
GALERIE

Alljährlich verwandelt sich die Kö für einige Tage in einen Lite-raturmarkt. Zu den Attraktionen dieses „Bücherbummels" gehören auch die Poeten-Nächte unter der Glaskuppel der Kö-Ga-lerie.

Once a year, the Kö is trans-formed into a literary market for some days. Among the attrac-tions of this "literary stroll" are the poetry evenings held be-neath the glass dome of the Kö Gallery.

Tous les ans la Kö se transforme en un marché littéraire durant plusieurs jours. Parmi les attrac-tions de cette „Foire aux livres" on notera les „nuits des poètes" sous la coupole en verre de la galerie de la Kö.

Parks und Gärten

In früherer Zeit schmückte sich Düsseldorf gern mit dem Titel „Gartenstadt". Das ist aus der Mode gekommen – die Stadt will heute lieber „Schreibtisch des Ruhrgebiets", „Drehscheibe Mitteleuropas" und ähnliches sein. Dennoch sind ihr die großzügigen Grünanlagen von einst zum Glück nicht abhanden gekommen, ja sie haben hier und da noch Zuwachs erhalten. Den historischen Kern der städtischen Parklandschaft bildet *der östliche Hofgarten mit der schnurgeraden Reitallee zwischen Schloß Jägerhof und Rundem Weiher (S. 70 o., 71).* Er gilt als erster öffentlicher Stadtgarten Deutschlands. Mit der Beseitigung der Festungsanlagen ab 1801 konnte er dann bis zum Rhein hin erweitert werden – ein Verschönerungsprojekt, das sogar vom französischen Kaiser (und zeitweiligen Herrn über die Stadt) Napoleon persönlich unterstützt wurde. Auch spätere Epochen der Stadtentwicklung haben jeweils eigene, typische Parkanlagen hinterlassen. Ende des 19. Jahrhunderts etwa entstand im Süden, als Oase im zügellosen Industrialisierungs- und Verstädterungsprozeß, der Volksgarten. Zwischen Erstem und Zweitem Weltkrieg kam der Nordpark mit seiner teilweise pompösen Stilistik dazu. Auf einem Teilstück desselben wurde später wiederum ein poetischer Gegenpol geschaffen: der japanische Garten. Vor rund zehn Jahren erhielt die „Gartenstadt" abermals im Süden neues Profil: Im Rahmen der Bundesgartenschau entstand der weitläufige und abwechslungsreiche Südpark.

Parks and gardens

Düsseldorf used to enjoy being known as a "garden city". This is now outdated – the city prefers to be known as the "writing desk of the Ruhr region", the "hub of Central Europe" and so on. Yet the spacious parklands laid out in earlier years are fortunately preserved and have even been added to here and there. The historic heart of the city's parkscape is *the eastern section of the Hofgarten with the dead straight bridle riding avenue between the Jägerhof palace and the Round Pool (pp. 70, top, 71).* It is believed to be the first public municipal garden in Germany. Following the removal of the fortifications, it was extended towards the Rhine from 1801 onwards – an enhancement project which even gained the personal support of the Emperor of France (and temporary ruler over the city), Napoleon. Later phases of the city's development also left their own, typical parks. For instance, the late 19th century saw the creation of the Volksgarten in the south, as a haven of rest in the unbridled industrialisation and urbanisation process. Between the two World Wars the North Park with its partially pretentious style was added. Part of it was later given over to a poetic antithesis: the Japanese garden. Some ten years ago, the "garden city" gained new impetus with the spacious, diversified South Park, developed for the National Garden Show.

Parcs et jardins

Jadis Düsseldorf aimait se donner le titre „ville jardin". Aujourd'hui, ce n'est plus à la mode – la ville préfère jouer les rôles de „bureau du bassin de la Ruhr", de „plaque tournante de l'Europe centrale", et d'autres encore. Cependant les vastes espaces verts de jadis n'ont heureusement pas disparu, ils ont même, çà et là, été agrandis. *Le „Hofgarten", le jardin de la cour, à l'est de la ville, avec son allée cavalière rectiligne reliant le château „Jägerhof" et l'étang „Runder Weiher", illustre le fond historique des jardins publics (p. 70 en haut, 71).* Il aurait été le premier jardin public en Allemagne. Après la suppression de la forteresse, dès 1801 il a été élargi jusqu'à la rive du Rhin – un projet d'embellissement, qui fut même soutenu par l'empereur français Napoléon (temporairement souverain de la ville). Au fil du temps, d'autres époques ont également laissé leurs traces respectives dans l'aménagement urbain, caractérisant les jardins publics. A la fin du 19e siècle, a été réalisé le parc Volksgarten au sud de la ville, en quelque sorte comme une oasis de l'industrialisation et de l'urbanisation effrénées. Entre les deux guerres mondiales, est venu s'y ajouter le jardin Nordpark avec son style quelque peu pompeux. Plus tard on a créé un contraste poétique en aménageant dans une partie de ce dernier un jardin japonais. Il y a dix ans environ, „la ville jardin" a encore changé sa physionomie du côté sud: dans le cadre de l'exposition horticole „Bundesgartenschau" on a aménagé le „Südpark", un vaste espace très varié.

Henry Moores zweigeteilte „Reclining Figure" im Hofgarten (o.).
Schloß Jägerhof (u.) beherbergt das Goethe-Museum. Das Fabelwesen im Weiher des Hofgartens (S. 71) wird „Gröner Jong" (grüner Junge) genannt.

Henry Moore's divided "Reclining Figure" in the Hofgarten (top). The Jägerhof palace (bottom) houses the Goethe Museum. The mythical creature in the Hofgarten lake (p. 71) is popularly known as the "Gröner Jong" (Green Lad).

„Reclining Figure", en deux pièces, de Henry Moore dans le parc Hofgarten (en haut). Le château Jägerhof ou se trouve le musée de Goethe. La figure de fable dans l'étang du Hofgarten (p. 71) porte le titre "Gröner Jong" (garçon vert).

Erwin Heerichs „Tor" (u. l.) und andere Impressionen vom Süd-park. S. 73: Der Japanische Garten (o. r., u.) im Nordpark.

Erwin Heerich's "Gateway" (bottom left) and other impressions in the South Park. P. 73: The Japanese Garden in the North Park.

La "Porte" de Erwin Heerich (en bas à gauche), et autres impressions du Südpark. P. 73: Le jardin japonais dans le Nordpark (en haut à droite, en bas).

Die martialischen „Rossebändiger" von 1937 (o.) am Eingang zum Nordpark (u. r.), wo auch der beliebte Aquazoo sein Domizil hat (u. l.).

The martial "Horse Bridler" dating from 1937 (top) at the entrance to the North Park (bottom right), which houses the popular Aquazoo (bottom left).

Les "Dompteurs de chevaux" martiaux, datent de 1937 (en haut) à l'entrée du Nordpark (en bas à droite), le fameux zoo aquatique se trouve également là (en bas à gauche).

„One up one down eccentric", bewegliche Plastik von George Rickey im Rheinpark am Landtag (o.). Auch im alten Lantz'schen Park in Lohausen gibt es neue Kunst zu entdecken (u.).

George Rickey's mobile sculpture "One up one down eccentric" in the Rhine Park by the State Parliament building (top). Modern art also features in the Lantz'sche Park in Lohausen (bottom).

Le mobile de George Rickey, dans le jardin Rheinpark devant le parlement du Land, porte le titre: „One up one down eccentric" (en haut). Egalement dans le Lantz'schen Park à Lohausen on peut découvrir l'art moderne (en bas).

Spiel, Sport, Spaß im Rheinpark. An Wochenenden tummeln sich auf den Wiesen Hobbyfußballer und im Rheinstadion die Profis. Immer action auch beim Deutschen Eishockeymeister DEG.

Games, sports and fun in the Rhine Park. At weekends the spacious green areas are taken over by hobby footballers, and the Rhine Stadium by the professionals. Action is always guaranteed, too, at Düsseldorf Ice-Hockey Club, champions of the German Ice-Hockey League.

Jeux, sports et plaisirs dans le Rheinpark. Les week-ends les amateurs du football courent sur les espaces verts et les professionels dans le Rheinstadion. On bouge toujours, comme le champion allemand de hockey sur glace DEG.

Hin und wieder weht Zirkusluft über den Rheinpark.

Now and again the excitement of the circus attracts visitors to the Rhine Park.

De temps à autres le cirque dresse son chapiteau dans le Rheinpark.

Brauchtum

„Der Globus eiert – Düsseldorf feiert" hieß das Motto der jüngsten Karnevalssaison. Typisch Düsseldorf: Man feiert unverdrossen und so oft es geht. Zu diesem Zweck gibt es sogar eine „fünfte Jahreszeit": So nennen die Narren ihren Karneval. Alljährlich am 11. 11. um 11 Uhr 11 erwacht dessen Geist, der „Hoppeditz", vor dem Rathaus zu neuem Leben. Ab Januar häufen sich dann die Festlichkeiten der Vereine – Hunderte von Prunksitzungen, Kostümbällen und Empfängen wollen absolviert sein. An den letzten tollen Tagen im Februar gibt es dann kein Halten mehr: Am „Altweiber"-Donnerstag reißen die Närrinnen die öffentliche Kontrolle an sich, am Sonntag flaniert dichtgedrängt das Volk über die Kö, und am Rosenmontag wälzt sich ein kilometerlanger Zug mit bizarren Wagen und musizierenden Marschkolonnen durch die Stadt. „Am Aschermittwoch ist alles vorbei", wie es in einem populären Lied heißt, aber vorbei ist nur das Winterbrauchtum – das Sommerbrauchtum steht schon vor der Tür. Hunderte von Schützen-Gesellschaften – ihre Wurzeln reichen bis ins Mittelalter zurück – nehmen nun Kurs auf den Juli mit seinem großen Volksfest auf der Oberkasseler Rheinwiese. „Es wird getanzt und gejubelt und sich betrunken, und wilde Thiere gezeigt und Puppenspiel und Waffeln auf offener Straße gebacken", beschrieb schon Felix Mendelssohn-Bartholdy 1834 die Düsseldorfer Kirmes. So ist es im Prinzip bis heute geblieben. Nur die wilden Tiere stehen ausgestopft in der Geisterbahn.

Customs

"The world's full of devils – while Düsseldorf revels" was the motto for the latest Carnival season. Typical for Düsseldorf: celebrations go on unbounded and as often as possible. This is the incentive for a "fifth season": at least, that's how the revellers refer to their Carnival. At 11.11 a.m. on 11.11. each year, their spirit, the "Hoppeditz" gives the City Hall a new lease of life. From January onwards, the celebrations by the Carnival societies gain momentum, with hundreds of gala sessions, fancy-dress balls and receptions to be held. And as Lent looms, there is no stopping them. On Maundy Thursday the women take control of events, on the Sunday the crowds head for the Kö, and on Shrove Monday a kilometre-long procession with bizarre floats and all kinds of bands heads through the city. "On Ash Wednesday it's all over", says a popular song, but it is only the winter customs that are over – the summer ones are still to come. Hundreds of riflemen's clubs – their origins rooted in medieval times – now wait in eager anticipation for July with its great public festival on the Oberkassel Rhine meadows. "The people dance and cheer and get intoxicated, and wild animals and marionettes are on show, and waffles are baked on the open street" – this description of the Düsseldorf fair by Felix Mendelssohn-Bartholdy dates from 1834. In principle it is still the same today. Except that the wild animals are now stuffed and adorn the ghost-train.

Coutumes

„La terre ne tourne pas rond, Düsseldorf est en fête" la devise pour la nouvelle saison carnavalesque, typique pour la mentalité de Düsseldorf. A cette fin on a même inventé la „cinquième saison": c'est ainsi que les adeptes du carnaval nomment cette période du carnaval. Chaque année le 11/11 à 11 heures 11, leur symbole, le „Hoppeditz" retrouve la vie devant la mairie. En février, les derniers jours, la fête atteint son summum: le „Altweiber"-Donnerstag, c'est le jeudi précédant le mardi gras, les femmes prennent les rennes dans la ville, le dimanche suivant, la foule se promène sur la Kö et le „Rosenmontag" (le lundi de carnaval), un cortège de chars aux motifs les plus variés de plusieurs kilomètres de long ainsi que des formations orchestrales sillonnent les rues de la ville. „Am Aschermittwoch ist alles vorbei", ainsi commence une chanson populaire signifiant „le mercredi des cendres tout est fini", mais ce n'est que la fin de cette coutume hivernale – les événements de la coutume estivale sont proches. Des centaines de sociétés de tir – dont les origines remontent au moyen âge – préparent leur grande fête populaire qui a lieu en juillet sur la Oberkasseler Rheinwiese. „Dans les rues on peut voir des animaux sauvages, des marionnettes, ou aussi des stands où l'on cuit des gaufres", ainsi Felix Mendelssohn-Bartholdy décrivait déjà en 1834 la fête populaire de Düsseldorf. En principe il en est encore ainsi aujourd'hui. Seuls les animaux sauvages se trouvent empaillés dans le château hanté.

Zünftig zu feiern wissen die Düsseldorfer immer, einschließlich der Oberbürgermeisterin Marlies Smeets (o.). Zum Brauchtum gehört aber auch das Gedenken an die Fürstentochter Stephanie, jungverstorbene Königin von Portugal und „Freundin der Armen" (S. 80 u. l.).

Spirited celebration has always come naturally to local people, including the Lady Mayoress, Marlies Smeets (top). Yet customs also extend to commemorating Stephanie, daughter of one of the Electors, a one-time queen of Portugal who died an untimely death, and a "friend of the poor" (p. 80, bottom left).

Les citoyens de Düsseldorf savent fêter comme il le faut, même la présidente du conseil municipal Marlies Smeets (en haut) ne s'en prive pas. Une autre coutume, la commémoration de la princesse Stéphanie, reine du Portugal et „amie des pauvres" décédée très jeune (p.80 en bas à gauche).

Altbier, Action, Zuckerwatte:
Riesenkirmes am Rhein.

Local beer, action, candyfloss:
the vast fair by the Rhine.

Altbier (bière à fermentation élevée),
action, barbe à papa: grande fête
populaire sur le Rhin.

82

Moderne Bauten

Das Wilhelm-Marx-Haus im Herzen Düsseldorfs (S. 84) zählt zwar nur dreizehn Stockwerke und wirkt in seiner Backsteinverkleidung eher traditionell – dennoch handelt es sich bei diesem 1924 nach Entwürfen des Architekten Wilhelm Kreis fertiggestellten Komplex um Deutschlands erstes Bürohochhaus überhaupt. Spektakuläre Bauprojekte hat es, im Zuge von Düsseldorfs dynamischer Entwicklung als Industrie-, Verwaltungs-, Handels- und Dienstleistungsmetropole, seither immer wieder gegeben. Am Rheinufer entstand 1958 der schlanke Stahlskelettbau der neuen *Mannesmann-Verwaltung (S. 85)*. Zwei Jahre später erstrahlte am alten Hofgarten das 95-Meter-Hochhaus von Thyssen, bestehend aus drei versetzt angeordneten, schmalen Scheiben – „ein Riesenschiff auf dem Land, nicht gebaut sondern montiert", wie die Architekten Hentrich und Petschnigg anmerkten. Anfänglich von vielen als schwere Bausünde gebrandmarkt, ist das „Dreischeibenhaus" heute längst als städtisches Wahrzeichen der gelungenen Art akzeptiert. Was nicht heißt, daß die Geschichte automatisch jeden Düsseldorfer Neubau freisprechen wird; wie es Gelungenes gibt, so auch Mißlungenes. Zu den aktuellen architektonisch-ästhetischen Erprobungsfeldern gehört der Hafen. Nicht nur der Westdeutsche Rundfunk hat hier mit seinem Sendegebäude bereits interessante Maßstäbe gesetzt. Eine Garde namhafter internationaler Architekten ist dabei, das Kapitel weiterzuschreiben.

Modern architecture

Although the Wilhelm Marx House at the heart of Düsseldorf (p. 84) is only thirteen storeys high and creates an almost traditional impression with its brick facing, this complex, which was completed in 1924 to plans by the architect Wilhelm Kreis, was Germany's very first office skyscraper. And since then spectacular building projects have featured repeatedly in Düsseldorf's dynamic development as an industrial, administrative, commercial and services centre. The slim steel skeleton structure of the new *Mannesmann office building dates from 1958 (p. 85)*. It was followed two years later by the 95-meter Thyssen skyscraper at the early Hofgarten, which consists of three offset, narrow sections – "a giant vessel on dry land, not built but assembled", as the architects Hentrich and Petschnigg remarked. Initially derided by many as a major architectural sin, the "three-section house" has long been accepted as a successful city landmark. Which is not to say that history will automatically absolve each and any new building in Düsseldorf. Just as success has made its mark, so has failure. Among today's test field for architectural aesthetics is the port area, where West German Radio's transmission building is one of those to have set interesting standards. Several architects of international repute are currently carrying on this trend.

Constructions modernes

L'immeuble *Wilhelm-Marx-Haus en plein centre de Düsseldorf (p.84)* ne compte que treize étages, et les briques rouges lui donnent un aspect plutôt traditionnel – il s'agit cependant du premier immeuble-tour construit en Allemagne selon des plans de l'architecte Wilhelm Kreis. Tout au long du développement dynamique de Düsseldorf en tant que métropole de l'industrie, de l'administration, du commerce et des services, sont sans cesse nés d'autres projets de constructions spectaculaires. En 1958 a été réalisée la tour en acier hébergeant le nouveau *siège de Mannesmann sur la rive du Rhin (p.85)*. Deux ans plus tard est venue se dresser la tour de Thyssen, haute de 95 mètres, près de l'ancien parc Hofgarten, elle est composée de trois plaques étroites, – „un énorme bateau mis à terre, non pas construit, mais monté", c'est ainsi que l'ont décrit les architectes Hentrich et Petschenigg. Ledit „Dreischeibenhaus" (l'immeuble en trois plaques), d'abord considéré comme un faux-pas architectural, est à présent considéré comme un symbole d'urbanisation réussie. Cela ne veut pas dire que l'histoire réhabilitera toute construction à Düsseldorf; il y a du réussi et du raté. Les projets d'architecture esthétique actuellement au banc d'essai sont ceux dans le port. Le bâtiment de la chaîne audiovisuelle Westdeutscher Rundfunk n'est pas le seul affichant les nouvelles normes. Une équipe internationale d'architectes renommés assure la continuation dans cet esprit.

Erster Büroturm Deutschlands: Das Wilhelm-Marx-Haus von 1924.

Germany's first office skyscraper: the Wilhelm Marx House dating from 1924.

Premier immeuble-tour de bureaux en Allemagne: la Wilhelm-Marx-Haus datant de 1924.

Das Mannesmann-Hochhaus von 1958 mit der Stahlplastik „Bewegung".

The 1958 Mannesmann skyscraper with the steel sculpture "Motion".

La tour Mannesmann date de 1958, et la sculpture "Mouvement".

95 Meter ragt das Thyssen-Hochhaus, auch Drei–Scheiben–Haus genannt, in den Himmel – ein bemerkenswerter Kontrast zum benachbarten alten Hofgarten (S. 86, S.87 o.). Kontraste prägen auch das Antlitz von Unterbilk (u.).

The Thyssen skyscraper, also known as the three-section house, soars 95 meters skywards – a striking contrast to the adjacent early Hofgarten (pp. 86, 87, top). Contrasts are a feature of Unterbilk (bottom).

La tour de Thyssen, également nommée „Drei-Scheiben-Haus“, dresse ses 95 mètres vers le ciel – un contraste remarquable avec l'ancien parc Hofgarten (p. 86, p.87 en haut). Le quartier Unterbilk est également marqué de contrastes (en bas).

Das Thyssen-Trade-Center an der Grafenberger Allee (o. l. und m.). Skulpturen am Albertus-See in Heerdt (u.). Das Vater-Rhein-Denkmal und Büroturm der Landesversicherungsanstalt (LVA) (S. 89 o. r.). Deutschlands erstes Parkhaus aus dem Jahr 1952 an der Grafenberger Allee (S. 89 u.).

The Thyssen Trade Centre on the Grafenberger Allee (top left and mittle). Sculptures by the Albertus Lake in Heerdt (bottom). The Father Rhine monument and the office tower of the state social insurance office (LVA) (p. 89, top right). Germany's first multi-storey car park was completed in 1952 on the Grafenberger Allee (p. 89, bottom).

Le Thyssen-Trade Center dans la Grafenberger Allee (en haut à gauche et au milieu). Sculptures près du lac Albertus-See à Heerdt (en bas). Le monument „Vater-Rhein-Denkmal" et la tour des bureaux de la LVA (p. 89 en haut à droite). Le premier parking d'Allemagne sur plusieurs étages construit en 1952 dans la Grafenberger Allee (p. 89 en bas).

Die mächtigen steinernen Keile am Hochhaus der LVA (S. 90 o. l.) und die Edelstahl-„Segel" am Platz der Deutschen Einheit (S. 90 u. l.) verweisen auf ein und denselben gefragten Künstler: Heinz Mack.

The massive stone wedge on the LVA skyscraper (p. 90, top left) and the stainless steel "sail" at the Square of Germany Unity (p. 90, bottom left) point to one and the same artist: Heinz Mack.

Les imposants coins en pierre de la tour de la LVA (p.90 en haut à gauche) et la „voile" en acier sur la place de l'Union allemande „Platz der Deutschen Einheit" (p.90 en bas à gauche) rappellent le même artiste: Heinz Mack.

Gemessen am postmodernen Baustil etwa im Gewerbepark Hansastern (S.90/91 o.) oder am Düsseldorfer Hauptbahnhof (o. r.) nahmen sich die Visionen der 50er-Jahre-Stadtplaner (u. r.) fast schon nostalgisch aus.

Measured against the post-modern style as exemplified in the Hansastern enterprise zone (p. 90/91 top) or at Düsseldorf railway station (top right), the visions of the 1950s town planners (bottom right) have an almost nostalgic air.

Comparées au style post moderne que l'on trouve dans le centre commercial Hansastern (p.90/91 en haut) ou à la gare principale de Düsseldorf (en haut à droite), les visions des urbanistes des années 50 (en bas à droite) semblent plutôt nostalgiques.

Die Messe Düsseldorfs zählt zu den großen Umschlagplätzen der Welt. 1995 erzielte sie mit 480 Millionen Mark einen neuen deutschen Umsatzrekord. 32 Einzelmessen wurden von fast 29.000 Ausstellern beschickt, es kamen 2,2 Millionen Besucher. Besondere Bedeutung hat die Mode. Die „collections premieren" sind ein Muß für die Branche (S. 92 u. l., S. 93 u. r.). Ein Novum ist die im Zweijahresrhythmus stattfindende Frauenmesse „top" (m. r.).

The Düsseldorf Trade Fair is one of the world's greatest sales centres. In 1995 it put up a new German sales record of DM 480 million. 32 individual fairs were attended by almost 29,000 exhibitors and 2.2 million visitors. The focus is on fashion, and the "collections premières" are a must for the branch (p. 92, bottom left, p. 93, bottom right). One recent innovation is the biennial "top" fair focusing on women (middle right).

La Foire de Düsseldorf compte parmi les places d'échanges commerciaux plus grandes du monde. En 1995 elle a atteint un nouveau record du chiffre d'affaires soit: 480 millions de marks. 32 manifestations sous la participation de quelque 29.000 exposants ont attiré 2,2 millions de visiteurs. La mode y joue un rôle important. La branche attache une grande importance aux „premières des collections" ici (p.92 en bas à gauche, p.93 en bas à droite). La Foire féminine „top" se tenant dans un rythme bisannuel, est une nouveauté (au milieu à droite).

Beliebtes Ausflugziel vor den Toren Düsseldorfs: Kaiserswerth.

Popular place for excursions outside the city: Kaiserswerth.

Site d'excursion populaire aux portes de Düsseldorf: Kaiserswerth.

Kaiserswerth und Umgebung

Ein Ausflug zu Düsseldorfs nördlicher Perle – am schönsten per Schiff – ist zugleich einer in die Vergangenheit. Im frühen Mittelalter gründete auf der einstigen Insel der angelsächsische Missionsbischof Suitbertus ein Kloster. Kaiser Friedrich I., genannt Barbarossa, ließ im 12. Jahrhundert eine mächtige Festung bauen, die bis in die Neuzeit immer wieder im Brennpunkt kriegerischer Konflikte stand. In Kaiserswerth wirkten aber auch bedeutende humanistische Geister. Die Büsten einiger von ihnen stehen unweit der Burgruine: Der Theologe und Komponist Caspar Ulenberg (1548-1617), der Dichter und Streiter gegen den Hexenwahn Friedrich Spee (1591-1635), Theodor Fliedner (1800-1864), Pionier der modernen Krankenpflege, Florence Nightingale (1820-1910), seine berühmte Schülerin, und der Schriftsteller Herbert Eulenberg (1876-1949). Kaiserswerth, das erst in diesem Jahrhundert Teil Düsseldorfs wurde, ist für viele Besucher aber auch einfach ein gastlicher Ort, wo *stimmungsvolle Biergärten und Cafés (S. 94)* ebenso einladen wie z. B. Deutschlands höchstdekorierter Küchenchef, Jean-Claude Bourgueil vom „Schiffchen". Folgt man dem alten Leinpfad, auf dem einst Knechte und Pferde die Schiffe rheinaufwärts zogen, nach Norden, gelangt man ins gepflegte Wittlaer. Im Osten von Kaiserswerth wartet Schloß Kalkum auf einen Besuch.

Kaiserswerth and its surroundings

A trip to Düsseldorf's northern gem – preferably by boat – is an excursion into the past. In early medieval times, the Anglo-Saxon missionary bishop Suitbert founded a monastery on the former island. In the 12th century, the Emperor Frederick I, known as Barbarossa, had a mighty fortress built, one which was repeatedly at the focus of martial conflict until recent times. However, important humanistic minds were also active in Kaiserswerth. The busts of some of these people can be seen not far from the castle ruins: the theologist and composer Caspar Ulenberg (1548-1617), the poet and anti-witch-hunt campaigner Friedrich Spee (1591-1635), Theodor Fliedner (1800-1864), a pioneer of modern nursing care, Florence Nightingale (1820-1910), his famous pupil, and the writer Herbert Eulenberg (1876-1949). But Kaiserswerth, which was integrated into Düsseldorf only in the 20th century, is also seen by many a visitor just as a welcoming place where *beer gardens and cafés (p. 94)* full of atmosphere abound and where, for instance, Germany's most distinguished chef, Jean-Claude Bourgueil, practises his culinary art at the "Schiffchen". The early towpath from which labourers and horses once pulled the barges upstream, can be followed northwards to the attractive village of Wittlaer. To the east of Kaiserswerth, Kalkum Palace is well worth a visit.

Kaiserswerth et les environs

Une excursion pour voir la „perle" au nord de Düsseldorf – de préférence en bateau – est un voyage remontant dans le passé. Au début du moyen âge, l'évêque de mission anglo-saxon, Suitbertus, a fondé un monastère sur cette ancienne île. Au 12e siècle, l'empereur Frédéric I, nommé Barberousse, y fit construire une grande forteresse, qui jusque dans le passé récent a souvent été un centre de conflits guerriers. De grands esprits classiques ont également œuvré à Kaiserswerth. Le théologue et compositeur Caspar Ulenberg (1548-1617), l'écrivain et militant contre la croyance aux sorcières Friedrich Spee (1591-1635), Theodor Fliedner (1800-1864), un pionnier des soins modernes donnés aux malades, son élève célèbre Florence Nightingale (1820-1910), et l'écrivain Herbert Eulenberg (1876-1949). Kaiserswerth, qui n'a été annexé à Düsseldorf que dans notre siècle, attire surtout les visiteurs par son caractère convivial, l'ambiance des ses *cafés, des terrasses (p.94)* ou le cuisinier les plus décoré d'Allemagne du restaurant „Schiffchen", Jean-Claude Bourgueil, sont autant de raisons d'y venir. Si l'on suit l'ancien chemin de halage vers le nord, où autrefois les valets et les chevaux tiraient les péniches sur le Rhin, on atterrit dans le quartier charmant de Wittlaer. A l'est de Kaiserswerth, le château de Kalkum vaut la visite.

Der Anker auf der Hochwasserschutz-
mauer erinnert an die Zeiten, da die Her-
ren von Kaiserswerth kräftig Rheinzoll
kassierten.

The anchor on the high-water protective
wall reminds of times, when the masters of
Kaiserswerth cashed in heavily on Rhine
duty.

L'ancre sur la digue protégeant des crues
rappelle l'époque où les seigneurs de Kaiserswerth encaissaient des droits de passage sur le Rhin.

Ruine der Kaiserpfalz (S. 98 o.). Am Stiftsplatz (S. 98 u.). Büste von Florence Nightingale an der Kaiserswerther Burgallee (m. r.). Alle paar Jahre wieder: Hochwasser (u.) !

Ruins of the Kaiserpfalz, the Imperial Palace (p. 98, top). At Stiftsplatz (p. 98, bottom). Bust of Florence Nightingale on the Burgallee in Kaiserswerth (centre right). A familiar event: the Rhine in flood (bottom).

Ruines du château impérial (p.98 en haut). „Stiftsplatz" (p.98 en bas). Buste de Florence Nightingale dans la Burgallee de Kaiserswerth (au milieu à droite). Tous les quelques ans: la crue (en bas).

Drei romanische Kirchen:
St. Suitbertus in Kaisers-
werth (u. l.), St. Lambertus
in Kalkum (u. r.) und St.
Remigius in Wittlaer (o. l.).
Kapelle im Lantz'schen
Park von Lohausen (o. m.).
Schloß Kalkum (r.) erhielt
seine heutige Gestalt zu
Beginn des 19. Jahrhun-
derts.

Three Romanesque church-
es: St Suitbert in Kaiserswerth (bottom left),
St. Lambert in Kalkum
(bottom centre) and St.
Remigius in Wittlaer (top
left). Chapel in the
Lantz'sche Park in Lohau-
sen (top centre), Kalkum
Palace (right) was given its
present appearance in the
early 19th century.

Trois églises romanes: St.
Suitbertus à Kaiserswerth
(en bas à gauche), St.
Lambertus à Kalkum (en
bas à droite) et St. Remigius à Wittlaer (en haut à
gauche). La chapelle dans
le parc Lantz'schen Park
de Lohausen (en haut au
milieu). Le château de Kalkum (à droite), son aspect
actuel date du 19e siècle.

Benrath, Urdenbach, Himmelgeist

Auch der Süden Düsseldorfs hat manches zu bieten. Etwa *das prächtige Rokoko-Schloß in Benrath (S. 102)*, welches Kurfürst Carl Theodor ab 1755 errichten ließ, *samt englischem Park, französischem Garten, Weier, Wasserspielen und Skulpturen (S. 104 o.)* – wenngleich er selbst und seine Gemahlin dieses Ambiente dann bloß ein oder zwei Mal besuchsweise genossen. Heute wird die sorgsam restaurierte Sommerresidenz für Regierungsempfänge und Konzerte genutzt, und im Westflügel, wo das Naturkundliche Heimatmuseum untergebracht ist, kann man, dank einer sinnreichen Installation, den Morgengesang der Vögel des Schloßparkes hautnah nacherleben. Schloß Benrath findet sich übrigens verewigt in einer Novelle von Thomas Mann; im „Geheimgang hinter einer Tapetentür" fällt sich da ein tragisches Liebespaar in die Arme. Der Erzähler wußte Bescheid: Tatsächlich gibt es in dem Gebäude ein ganzes System verborgener Kammern, Flure und Stiegen, zu besichtigen bei speziellen Führungen. Von Benrath aus westwärts gelangt man in den kleinen Ort *Himmelgeist mit seiner alten Kirche St. Nikolaus (S. 104 u., S. 105 o.)*; im Süden schließen sich *Urdenbach* und seine unter Naturschutz stehenden Wiesen und Weiden an *(S. 105 m.)*. Von hier aus kann man auch mit einer kleinen Fähre auf linksrheinisches Gebiet hinüberwechseln *(S. 105 u.)*: *Die malerische Feste Zons* ist allemal einen Besuch wert.

The south of Düsseldorf, too, has something to offer. For instance *the magnificent rococo palace in Benrath (p. 102)* built from 1755 onwards for the Elector Carl Theodor, together *with an English park, French garden, lake, fountains and sculptures (p. 104, top)* – although he and his wife then came on only one or two visits. Today the carefully restored summer residence is used for state receptions and concerts, and in the west wing, which houses the Museum of Local Natural History, the dawn chorus of the birds living in the palace park can be heard at close quarters. Benrath Palace is incidentally immortalised in a novel by Thomas Mann; in the "Secret Passage behind a Concealed Door" it is there that tragic lovers fall into each other's arms. The narrator knew all about it: the building has indeed a network of concealed chambers, passages and stairways which can be seen on guided tours. To the west of Benrath is *the village of Himmelgeist with its ancient church of St. Nicholas (p. 104, bottom, p. 105, top)*; immediately to the south is *Urdenbach* with its conservation site of meadows and pastures *(p. 105, centre)*. From here a small ferry can be taken to the left bank of the Rhine *(p. 105, bottom)*: the picturesque 14th century customs stronghold at *Zons* is definitely worth a visit.

Le sud de Düsseldorf offre plus d'un aspect charmant. Ainsi *le château en style rococo à Benrath (p.102)*, l'Electeur Carl Theodor l'avait fait construire dès 1755, *avec un parc anglais, un jardin français, des étangs, des fontaines et des sculptures (p.104 en haut)*. – quoique lui et son épouse n'aient joui de ce cadre magnifique qu'une ou deux fois sur leur passage. De nos jours, la résidence estivale soigneusement rénovée, sert lors de réceptions officielles et pour des concerts; dans son aile ouest se trouve le musée régional de science naturelle, où l'on peut, grâce à une installation bien pensée, observer le chant matinal des oiseaux dans le parc du château. Le château de Benrath est d'ailleurs immortalisé dans une nouvelle de Thomas Mann; „dans une galerie secrète, derrière une porte tapissée", un couple d'amoureux tragique s'étreint. Le narrateur était au courant: en fait, il y a dans l'édifice tout un système de pièces dérobées, de galeries et d'escaliers secrets, lors de visites guidées on peut les voir. En quittant Benrath à l'ouest on parvient dans le petit faubourg *Himmelgeist avec sa vieille église St. Nicolas (p. 104 en bas, p. 105 en haut)*; au sud se trouve *Urdenbach* avec ses prés et ses pâturages classés *(p.105 au milieu)*; A partir d'ici on peut prendre un bac pour se rendre sur la rive gauche du Rhin *(p.105 en bas)*; *Zons* une forteresse pittoresque vaut en tout cas le passage.

S. 104: Figurengruppe des flandrischen Bildhauers Anton Verschaffelt im Benrather Schloßpark (o.). In Himmelgeist (u.). – S. 105: Himmelgeist bei Hochwasser (o.). In der Nähe von Urdenbach (m., u.).

P. 104: Group of figures by the Flemish sculptor Anton Verschaffelt in the gardens of Benrath castle (top). In Himmelgeist (bottom). – P. 105: Himmelgeist with high water (top). Near Urdenbach (centre, bottom)

P. 104: Groupe réalisé par le sculpteur flamand Anton Verschaffelt dans le parc du château de Benrath (en haut). A Himmelgeist (en bas). P. 105: La crue à Himmelgeist (en haut). Près de Urdenbach (au milieu, en bas).

Gerresheim und Grafenberg

An den Ausläufern des Bergischen Landes, im Osten der Stadt, liegt das geschichtsträchtige, bis ins 9. Jahrhundert zurückreichende Gerresheim. Seine *spätromanische Kirche St. Margaretha (S. 106)*, im Jahre 1236 geweiht, gilt als eines der bedeutendsten kunsthistorischen Bauwerke der Region. Wenn sich das touristische Interesse auch weitgehend auf den malerischen alten Ortskern (mit seiner neu gestalteten Fußgängerzone) konzentriert, so sei doch erwähnt, daß es auch ein anderes, „unteres" Gerresheim gibt: das der mächtigen Glashütte nämlich, die hier ab der zweiten Hälfte des 19. Jahrhunderts heranwuchs – sie war lange Zeit die größte der Welt –, und der Werkssiedlungen für Tausende von Arbeitern, die, oft von weither kommend, sich hier niederließen und ein ausgeprägtes proletarisches Vereins- und Parteileben entwickelten. Unweit von Gerresheim beginnt der Grafenberger Wald, beliebtes Freizeit- und Erholungsgebiet für die Düsseldorfer. Die spazieren nicht nur durch die Natur oder füttern im Wildpark Rehe und Wildschweine, sondern strömen auch regelmäßig in Scharen zu sportlich-gesellschaftlichen Großereignissen: Im Grafenberger Wald liegt sowohl die Galopprennbahn des Düsseldorfer Reiter- und Rennvereins als auch die Tennis-Arena des (vor 100 Jahren gegründeten) Rochusclub, wo alljährlich die Meister des Filzballs um den „World Team Cup" kämpfen.

Gerresheim and Grafenberg

In the foothills of the uplands to the east of the city is Gerresheim, whose history is documented back into the 9th century. Its late *Romanesque church of St. Margaret (p. 106)*, consecrated in 1236, is considered by art historians to be one of the most important buildings in the region. Although the interest of most tourists is focused on the picturesque historic centre (with its newly designed pedestrian precinct), it must not be forgotten that there is also another "lower" Gerresheim: that of the vast glassworks which developed here from the second half of the 19th century – for a long time it was the largest in the world – and the housing estates for thousands of workers who, often coming from far away, settled here and developed a markedly proletarian social life based on clubs and political activity. Not far from Gerresheim is Grafenberg Forest, a popular recreational area for the people of Düsseldorf, who not only enjoy communing with nature of feeding deer and wild boar in the reserve but also regularly make their way in droves to socially prestigious sporting events: Grafenberg Forest is home to both the Düsseldorf Riding and Racing Society racecourse and the century-old Rochus Club, where tennis champions meet annually to play for the "World Team Cup".

Gerresheim et Grafenberg

Sur les contreforts des monts du Bergische Land, à l'est de la ville, se trouve Gerresheim, un bourg riche en histoire, dont les origines remontent jusqu'au 9 e siècle. *L'église St. Margaretha en style roman (p.106)* consacrée en 1236, est un des édifices de l'histoire de l'art le plus remarquable de la région. Bien que l'intérêt touristique se concentre principalement sur le vieux centre pittoresque (avec sa nouvelle zone piétonne), il ne faut pas oublier qu'il y a encore l'autre Gerresheim, le „bas" Gerresheim: celui de la grande verrerie qui s'est développée ici dès la seconde moitié du 19e siècle – elle fut longtemps la plus grande du monde –, et celui des cités d'entreprise pour des milliers d'ouvriers, souvent venus de très loin pour s'installer ici et développer un vive vie prolétaire dans les clubs et les partis politiques. A proximité de Gerresheim s'étend la forêt de Grafenberg, un espace de détente et de loisirs populaire auprès des habitants de Düsseldorf. Ceux-ci ne se contentent pas de se promener dans la nature ou de donner à manger aux chevreuils et aux sangliers dans le parc à gibier, ils affluent en masse lors de grandes manifestations sportives ou mondaines: dans la forêt de Grafenberg il y a l'hippodrome du club équestre et hippique de Düsseldorf ainsi que l'arène de tennis du Rochusclub (fondé il y a un siècle), où chaque année les champions de la balle en feutre se battent pour le „World Team Cup".

Der Heimatbrunnen auf dem Gerricusplatz erinnert auch an ein dunkles Kapitel
der Geschichte: Hier wurden noch 1738
zwei junge Frauen als „Hexen" verbrannt
(u.) – „Last Night of the Proms" mit dem
Dirigenten Justus Frantz auf der Grafenberger Rennbahn (r.).

The fountain at Gerricusplatz recalls a
dark episode of local history: it was here
that two young women were burned as a
"witch" as late as 1738 (bottom). – The
"Last Night of the Proms" with the con-
ductor Justus Frantz at Grafenberg racecourse (right).

La fontaine régionale place „Gerricusplatz" rappelle un chapitre sombre de
l'histoire: en 1738 encore, deux jeunes
femmes déclarées „sorcières" y ont brûlées
(en bas). – „Last Night of the Proms" avec
le chef d'orchestre Justus Frantz à
l'hippodrome de Grafenberg (à droite).

Düsseldorfs Gemüsegarten: Hamm.

Düsseldorf's kitchen garden: Hamm

Le potager de Düsseldorf: Hamm.

Hamm, Volmerswerth und Flehe

Düsseldorfs Südwesten, in eine langgezogene Rheinschlinge gebettet, ist der traditionelle Gemüsegarten der Stadt. Schon im Mittelalter zogen die hiesigen Bauern mit ihrem Kohl, ihren Kartoffeln und Radieschen auf den Düsseldorfer Markt. *Hamm, das bedeutendste der drei Dörfer (S. 110)*, wird deshalb im Volksmund auch „Kappeshamm" genannt (Kappes = Kohl). Der Ort entstand einst da, wo eine Fähre das rechte mit dem linken Rheinufer verband. Heute erfüllen eine Eisenbahn- und eine Autobrücke, die Südbrücke, diesen Zweck. Ihnen gesellte sich als jüngste und vorerst letzte Düsseldorfer Rheinbrücke noch die in Flehe hinzu. Das Gebiet um Hamm, Volmerswerth – einst eine Insel im Strom, der dann seinen Lauf änderte – und Flehe bildet heute zwar nicht mehr einen einzigen „großen, zusammenhängenden Gemüsegarten", wie noch in einem Buch aus den 30er Jahren zu lesen steht, dennoch hat es viel von seinem ländlich-landwirtschaftlichen Charakter bewahrt. Kein Wunder, daß es viele erholungssuchende Düsseldorfer in die grüne Oase zieht – auch dies übrigens schon traditionellerweise: „Alltäglich wallfahrteten jetzt Scharen von Bürgern durch die schön bestellten Felder, über die frischer Dung durchdringenden Lenzduft breitete, nach Dorf Hamm", schildert ein alter Roman das Düsseldorfer Frühlingstreiben im letzten Jahrhundert.

Hamm, Volmerswerth and Flehe

Sheltered in a sweeping curve of the Rhine, the south-west of Düsseldorf is the city's traditional kitchen garden. Even in medieval times, local peasants set out with their cabbages, potatoes and radishes to Düsseldorf market. *Hamm, the most important of the three villages (p. 110)* is consequently known locally as "Kappeshamm" (Kappes = cabbage). It developed at the site where a ferry once linked the right and left banks of the Rhine, a function which has now been taken over by a railway bridge and a bridge for motorised traffic, the South Bridge. These were joined by the youngest and, for the time being, last of the Düsseldorf Rhine bridges in Flehe. Although the region around Hamm, Volmerswerth – once an island in the river, which then changed its course – and Flehe no longer forms one single "vast, undivided kitchen garden", as stated in a book published in the 1930s, it has preserved much of its rural, agricultural character. No wonder so many people from Düsseldorf retreat to this area for rest and recreation – a traditional spring custom, as a 19th century novel shows in the words "Every day throngs of people now made their pilgrimage through the pleasingly cultivated fields, across which the scent of fresh manure penetrated the spring air, to the village of Hamm".

Hamm, Volmerswerth et Flehe

Le sud-ouest de Düsseldorf, blotti dans une longue boucle du Rhin, est le potager traditionnel de la ville. Dès le moyen âge, les paysans d'ici venaient au marché de Düsseldorf avec leurs choux, leurs pommes de terre et leurs radis. Voilà pourquoi le peuple nomma *Hamm, le plus grand des trois villages (p.110)*, „Kappeshamm" (Kappes = chou). Le bourg s'est établi à l'endroit où un bac reliait la rive droite à la rive gauche du Rhin. De nos jours, un pont de chemin de fer et un pont routier, le pont „Südbrücke" assurent cette fonction. Le plus récent et pour l'instant le dernier pont de Düsseldorf, celui de Flehe s'est encore joint à eux. Les environs de Hamm, Volmerswerth – jadis une île dans le fleuve, qui a alors modifié sont cours – et Flehe ne forment plus aujourd'hui „un seul grand potager homogène", tel qu'il est encore décrit dans un livre des années 30, ils ont néanmoins conservé une grande partie de leur caractère campagnard. Il n'est pas étonnant que beaucoup d'habitants de Düsseldorf viennent chercher la détente dans ce cadre de verdure – cela a également une tradition: dans un vieux roman évoquant les allures printanières du Düsseldorf au siècle dernier il est écrit:" tous les jours une foule de citoyens se rendent au village de Hamm en se promenant à travers les beaux champs cultivés sur lesquels la fumure fraîche répand un odeur printanière pénétrante".

Die Fleher Brücke (o.). Schmuck an einem alten Fischerhaus (u.): Ob die Zeiten der Rheinfischerei einmal wiederkehren?

The Fleher Bridge (top). Embellishment on an old fisherman's house (bottom): Will the old fishing traditions ever return to the Rhine?

Le pont de Flehe (en haut). Décor d'une ancienne demeure de pêcheur (en bas): les temps de la pêche dans le Rhin reviendront-ils un jour?